D1269751

АРТУРО
ПЕРЕС-РЕВЕРТЕ

ARTURO PÉREZ-REVERTE

EL HÚSAR

АРТУРО
ПЕРЕС-РЕВЕРТЕ

ГУСАР

МОСКВА 2005

УДК 82(1-87)-3
ББК 84 (4 Исп)
П 27

Arturo PÉREZ-REVERTE
EL HÚSAR

Перевод с испанского *Екатерины Матерновской*

Макет *Андрея Бондаренко*

Оформление переплета *Виктора Меламеда*

Перес-Реверте А.

П 27   Гусар: Роман / Пер. с исп. Е. Матерновской. — М.:
Изд-во Эксмо, 2005. — 224 с.

ISBN 5-699-13378-X

Новый залп наполнил все вокруг вспышками, дымом, криками, кровью и грязью. Фредерик не понимал, ранили его или нет, он видел только, что конь мчит его прямо на штыки. Врезавшись в неприятельский строй, юноша поднял коня на дыбы и, с размаху опустившись, с безумным криком нанес удар — яростный, слепой, смертоносный. Голова, рассеченная пополам до самой нижней челюсти, раненые в грязи, под копытами лошадей, кровь на лезвии сабли, хлюпанье человеческой плоти, в которую врезается клинок, безумный танец коня, рубящий вслепую гусар, окровавленное лицо, испуганное ржание лошадей, потерявших всадников, крики, звон клинков, выстрелы, вспышки, дым, стоны, лошадиные ноги в распоротых животах, внутренности, намотанные на копыта, резать, колоть, кусать, вопить...

Первый роман испанского писателя Артуро Переса-Реверте «Гусар» — искреннее, зрелое и страстное обличение войны. Впервые на русском языке.

УДК 82(1-87)-3
ББК 84 (4 Исп)

Copyright © 1983, 2004, Arturo Pérez-Reverte
© Перевод. Е. Матерновская, 2005
© Оформление. В. Меламед, 2005
© ООО «Издательство «Эксмо», 2005

ISBN 5-699-13378-X

От автора

«Гусар» — мой первый роман. Я написал его в 1983 году, в перерыве между двумя военными репортажами; в то время я не планировал посвятить себя литературе и, можно сказать, по чистой случайности опубликовал в одном издательстве, с которым позже поссорился и почти двадцать лет не мог восстановить свои права на книгу. Ныне она снова выходит в свет — такая, какой хотел бы ее видеть автор, исправленная и очищенная от совершенно лишних прилагательных и наречий.

Клоду, старому товарищу
по войнам в разных концах земли
и дорогам, ведущим в никуда.

«Но прежде — про равнину. Нужно сразу же
сказать, что я никогда не мог правильно
воспринимать ее, а всегда находил ее печальной —
с нескончаемыми топями, с домами, где больше
не живут люди, и дорогами, ведущими в никуда.
Но если добавить ко всему еще и войну, то место,
где мы находимся, становится невыносимым».

Л.-Ф. Селин.
«Путешествие на край ночи»[1]

---

1 Перевод с французского А. Юнко, Ю. Гладилина. — *Здесь
и далее прим. переводчика.*

I
Ночь

Сияние стали заворожило его. Фредерик Глюнтц не мог отвести глаз от лежавшего у него на коленях обнаженного клинка, который вспыхивал таинственным металлическим блеском всякий раз, когда вздрагивало пламя свечи. В последний раз проведя по острию точильным камнем, он убедился, что сабля стала безупречно острой.

— Замечательный клинок, — убежденно сказал Фредерик сам себе.

Мишель де Бурмон курил трубку, развалившись на походной кровати, и флегматично наблюдал за колечками дыма, уплывавшими к потолку. Услышав слова друга, он недовольно дернул пшеничный ус.

— Неподходящее оружие для благородного человека, — бросил Мишель, не меняя позы.

Фредерик Глюнтц повернулся к нему, вне себя от изумления:

— Почему же?

Де Бурмон прикрыл глаза. В голосе его звучало едва заметное раздражение, словно приходилось объяснять вполне очевидные вещи:

— Сабле чуждо настоящее искусство... Она слишком тяжела и безнадежно вульгарна.

Фредерик лукаво улыбнулся:

— Ты, конечно, предпочтешь огнестрельное оружие?

Де Бурмон замахал руками в притворном ужасе.

— Боже милостивый, конечно, нет! — воскликнул он. — Убивать на расстоянии — не слишком достойное дело. Пистолет символизирует нравственный упадок нашей цивилизации. Что касается меня, то я предпочитаю рапиру; она более гибкая, более...

— Изящная?

— Да. Вот самое подходящее слово: изящная. Сабля — орудие не воина, а мясника. Годится лишь на то, чтобы рубить головы.

И де Бурмон вновь занялся своей трубкой, напрочь потеряв интерес к разговору. Он слегка шепелявил — по моде, распространенной среди офицеров Четвертого гусарского полка. Времена гильотины миновали, и уцелевшие обломки старой аристократии поднимали головы без страха, что их отрубят, — в том случае, разумеется, если им хватало ума не оспаривать заслуг тех, кто преуспел благодаря новому порядку.

Ознаменовавшие начало нового столетия бурные перемены почти не коснулись Фредерика Глюнтца. Младший сын богатого страсбургского купца в пятнадцать лет покинул родной Эльзас и отправился в Париж, чтобы поступить в Военную школу. Юноша оставил ее стены три месяца назад, получив звание подпоручика и назначение в расквартированный в Испании Четвертый гусарский полк. Попасть в легкую кавалерию — предел мечтаний каждого молодого офицера — в ту пору было очень нелегко. И все же чудо произошло, не в последнюю очередь — благодаря отличным оценкам, толстой пачке рекомендательных писем и разгоравшейся за Пиренеями кровопролитной войне, из-за которой в армии то и дело открывались новые вакансии.

Фредерик отложил точильный камень и поправил упавшую на лоб прядь. Скоро его пышные светло-каштановые волосы достаточно отрастут, чтобы их можно было уложить в положенную по уставу косичку. О другом неотъемлемом признаке истинного гусара — пышных усах — пока приходилось только мечтать; на лице молодого Глюнтца рос лишь редкий белесый пушок, который юноша безжалостно сбривал, надеясь, что его сменит настоящая борода.

Сжав прохладный эфес, Фредерик наблюдал, как блики свечи играют на чистом лезвии.

— И все-таки сабля замечательная, — решил он. Де Бурмон ничего не ответил. Речь шла о великолепном экземпляре холодного оружия, который часто ошибочно именуют «облегченной моделью для кавалерии 1811 года», — страшном орудии убийства длиной в тридцать семь дюймов — достаточно длинном, чтобы рубить противника, хоть конного, хоть пешего. Устав позволял гусарам выбирать оружие по вкусу. Де Бурмону, к примеру, исправно служила выкованная в 1786 году тяжелая сабля, которая досталась ему от отца. Молодой подпоручик уже успел вдоволь напоить ее кровью на узких мадридских улочках, примыкавших к Паласио-Реаль.

Фредерик не мог оторвать взгляд от лежащей на коленях сабли; она была великолепна. «Орудие мясника», сказал Мишель. Возможно, так оно и было, но юный офицер ни разу не видел настоящей рубки, и на лезвии пока не появилось ни одной зазубрины. Фредерик мог бы назвать свою саблю девственной, если бы суровое лютеранское воспитание позволило ему употребить это слово по отношению к оружию. Лезвие не познало крови, как сам юноша не познал женщины. Но глубокой ночью, под беззвездным испанским небом мысли о женщинах казались неуместными и лишними. Куда важнее были пурпур крови, сабельный звон и топот конских копыт на поле боя. Такие картины рисовал гусарам их командир полковник Летак, самодовольный и грубоватый, но отважный бретонец:

— Вообразите, господа, эти, эхем, неумытые крестьяне собирают силы; одна атака, всего одна, и мы погоним их по всей Андалусии!

Фредерику нравился Летак. Это был крепкий, весь в шрамах солдат, настоящий человек 1802 года[1], сражавшийся с первым консулом в Италии и при Аустерлице, отличившийся при Йене, Эйлау и Фридлянде... Полковник начинал простым капралом в брестском гарнизоне и прошел всю Европу вместе с непобедимой армией.

1 В 1799 г. Наполеон Бонапарт совершил во Франции государственный переворот, свергнув правительство Директории и провозгласил себя консулом. В 1802 г. при поддержке верных офицеров, прошедших вместе с Наполеоном тяжелейшую Египетскую кампанию 1799–1801 гг., он добился для себя пожизненного консулата, а в 1804 г. стал императором Франции.

Фредерик отлично помнил первую встречу с Летаком, когда он, новоиспеченный подпоручик, прибыл в распоряжение своего командира. Дело было в Аранхуэсе. Юный офицер в мундире цвета индиго и алом ментике, отчаянно робея, предстал перед командиром Четвертого гусарского полка. Летак принял его в большом старинном особняке, где полковник устроил свою резиденцию, в просторном кабинете с видом на серебристую дугу Тахо.

— Как вы сказали?.. Гхм, так вот, подпоручик Глюнтц, эхем, что ж, дружище, теперь вы один из нас, сплоченные ряды, боевое товарищество и все такое прочее, здесь ведь у нас самые сливки, традиции, ну, вы понимаете... Первоклассное сукно, доломан в Париже шили? Гхм, ну вот, друг мой, приступайте к своим обязанностям... Полк — ваша новая семья, не посрамите ее чести, прошу вас как отец... Да, и никаких дуэлей, знаете, косой взгляд, кровь кипит, и все прочее, однако надо все же хладнокровнее, правда, когда нет выбора, эхем, честь, честь превыше всего, мы ведь семья, все остается между товарищами, ну, словом, вы поняли.

Полковник Летак слыл умелым всадником и добрым солдатом, а что еще нужно гусару? Он управлял своим полком твердо, умело сочетая суровую дисциплину с отеческой заботой о подчиненных и не стесняясь проявлять разумную гибкость, без которой невозможно было сладить с кавалеристами — самыми отчаянными, храбрыми и буйными вояками во всем императорском войске. Непокорный нрав гусар делал жизнь их командиров невыносимой. Держать в узде этот бешеный народ было под силу лишь опытному боевому офицеру, каким был полковник Летак. В любом деле он старался быть твердым, разумным и справедливым, и — нужно отдать старому бойцу должное — обычно ему это удавалось. К врагам Летак был беспощаден; но за это настоящего гусара никто бы не осудил.

Остро отточенная сабля была готова к бою и жаждала крови. Полюбовавшись еще немного мерцанием лезвия, Фредерик бережно убрал ее в ножны и благоговейно погладил кончиком пальца украшавший эфес вензель N. Мишель де Бурмон, который все это время молча курил, удивленно поднял брови и усмехнулся. В этой усмешке не было и тени пренебрежения; Фредерик давно научился толковать многочисленные разновидности улыбок, которыми располагал его приятель, от смутной — и жутковатой — волчьей ухмылки, приоткрывавшей острые белоснежные зубы, до широкой, сердечной улыбки, которой Мишель неизменно встречал тех, кто ему действительно нравился. Фредерик Глюнтц был удостоен чести войти в тесный круг избранных.

— Завтра великий день, — проговорил Мишель де Бурмон, выпустив из трубки колечко дыма. — Представь: одна атака, всего одна, и мы погоним эту шваль по всей... эхем... Андалусии. — Он передразнил Летака совершенно беззлобно и так мастерски, что теперь уже Фредерик не смог сдержать улыбку. Юноша горячо закивал, не выпуская из рук саблю.

— Что ж, — ответил он безмятежно, как настоящему гусару полагается говорить о предстоящем сражении, в котором ему, возможно, придется сложить голову, — на этот раз дела и вправду принимают серьезный оборот.

— Говорят, так оно и есть.

— Будем надеяться, что не врут.

Де Бурмон сидел на походной кровати. Его соломенные волосы были тщательно причесаны и уложены в предписанную уставом косичку. Из-под полурасстегнутого доломана виднелась белоснежная сорочка. Наряд Мишеля дополняли чикчиры, тоже цвета индиго, и черные сапоги со шпорами, сшитые из тонкой телячьей кожи. Подобная элегантность не слишком гармонировала с палаткой, разбитой посреди пыльной долины в окрестностях Кордовы.

— Ты ее хорошенько наточил? — спросил де Бурмон, указав черенком трубки на саблю Фредерика.

— Полагаю, что да.

Де Бурмон снова улыбнулся. Его ярко-синие глаза слегка щурились от дыма. Фредерик разглядывал профиль своего друга, выхваченный из тени огнями свечей. Черты и манеры Мишеля выдавали благородное происхождение. Его родитель, принадлежавший к одной из самых знатных семей старой Франции, предпочел стать гражданином Бурмоном, пока санкюлоты не вперили в него отнюдь не дружелюбные взоры. Поспешное обращение в республиканскую веру не помогло хитрому аристократу сохранить в неприкосновенности богатства и земли, но, по крайней мере, позволило ему избежать участи обезглавленных собратьев и спокойно пережить разразившуюся над Францией бурю, миновать трудное время и в добром здравии увидеть возвышение корсиканского выскочки. Само собой, старый аристократ именовал императора этим титулом лишь при наглухо закрытых дверях, наедине с мадам де Бурмон.

Мишель де Бурмон-младший был из тех, кто до 1789 года мог без особого риска причислить

себя к «юношам из хороших семей». С ранних
лет угодив в гусары, он не стал подражать рав-
ным и заискивать перед высшими и не только
не перенял царившей в армии чудовищной
вульгарности, но и сумел привить всему полку
особый благородный тон, став примером для
других. Мишель был молод — в Испании он
встретил свой двадцатый день рождения, — ве-
ликодушен и храбр. Молодой человек и огля-
нуться не успел, как к его фамилии вернулась
утраченная в годы революции, еще совсем недавно такая опасная приставка «де». Все знали,
что через пару недель он станет поручиком.

Для Фредерика, молоденького подпоручика,
как и положено в девятнадцать лет бредившего
подвигами и славой, полковник Летак был примером для подражания — тем, кем он стремить-
ся стать, а Мишель де Бурмон — тем, кем он хотел бы родиться, воплощением недостижимого
идеала. Ведь и сам Летак, за двадцать лет безу-
пречной службы сумевший добиться всего, на
что может рассчитывать отличный солдат, и со
дня на день ожидавший генеральского звания,
не обладал утонченностью аристократа, прису-
щей тем, кто, по выражению самого полковника «в нежном возрасте писался на старинные
персидские ковры». Де Бурмон владел таким
стилем в совершенстве и не придавал ему осо-

бого значения: гусарским офицерам, самым большим забиякам и бахвалам во всей французской армии, не полагалось придавать особого значения решительно ничему. Потому Фредерик Глюнтц, сын простого буржуа, искренно восхищался своим другом.

Как часто бывает в юности, дружба двух подпоручиков, назначенных в один полк, возникла сама по себе, без особых причин, из простой взаимной симпатии. В походе приятели охотно делили одну палатку; ничто не сближает людей сильнее тягот армейской жизни и честолюбивых грез юности. Друзья привыкли делиться сокровенными мыслями и говорили друг другу «ты» — небывалый среди привыкших обращаться на «вы» офицеров Четвертого гусарского знак расположения.

Дружба Фредерика Глюнтца и Мишеля де Бурмона окрепла благодаря событию поистине драматическому. Это случилось несколько недель назад, когда расквартированный в Кордове полк готовился выступить. Поздним вечером подпоручики отправились побродить по городу. Вечер выдался великолепный, городские улочки оказались весьма живописными, а местное вино превосходным. Проходя мимо какого-то дома, оба одновременно увидели, как в окне мелькнул стройный девичий силуэт, и надолго застыли у резной решетки, надеясь, что красавица покажется снова. Встреченная по дороге компания французских офицеров, среди которых оказались и гусары Четвертого полка, приветствовала подпоручиков радостными возгласами. Веселая компания позвала друзей с собой, и они с удовольствием приняли приглашение.

Вечер продолжался в ближайшей таверне за шумным разговором и добрым вином, которое исправно подносил угрюмый трактирщик. Так незаметно миновали два часа, и тут поручик егерского полка по фамилии Фукен внезапно усомнился в лояльности старой аристократии, о чем и сообщил во всеуслышание, уперев локти в залитую вином столешницу.

— Готов поспорить, — заявил он, — что, будь у этих роялистов своя армия и повстречайся мы с ней в бою, кое-кто из сидящих за этим столом оказался бы не на нашей стороне. У этих в крови почтение к лилиям.

Обильные возлияния, предшествовавшие этому заявлению, не могли послужить поручику оправданием. Все присутствующие, включая Фредерика, посмотрели в сторону де Бурмона, и ему ничего не оставалось, как принять оскорбление на свой счет. Губы Мишеля сложились в знакомую волчью усмешку, однако холодный и тяжелый, словно глыба льда, взгляд ясно говорил о том, что он не находит в словах Фукена ничего смешного.

— Поручик Фукен, — прозвучал в настороженной тишине, воцарившейся за столом, ровный голос де Бурмона. — Вы, кажется, хотели оскорбить благородное сословие, к которому я имею честь принадлежать... Я вас правильно понял?

Фукен, черноглазый уроженец Лотарингии, удивительно похожий на Мюрата, беспокойно озирался по сторонам. Он понимал, что сморозил глупость, и чувствовал, что теперь все смотрят на него. Отступать было поздно.

— Каждый волен принимать на свой счет, что ему заблагорассудится, — ответил он наконец, заносчиво выпятив подбородок.

Офицеры переводили взгляды с одного на другого, ожидая неизбежной развязки. Противники исполняли обязательный в таких случаях ритуал, который полагалось непременно довести до конца. Оставалось только наблюдать, стараясь не пропустить не слова. Каждый прикидывал про себя, в каких выражениях станет рассказывать товарищам о недавнем происшествии.

Фредерик, прежде не видевший ничего подобного, наблюдал за происходящим со смесью тревоги и любопытства. Де Бурмон нарочито медлительно поставил стакан на стол. Ротмистр, самый старший в компании, пробормотал:

— Господа, будем же благоразумны, — тщетно пытаясь охладить пыл соперников, но никто даже не посмотрел в его сторону. Ротмистр пожал плечами; его реплика тоже была частью ритуала.

Де Бурмон вытащил из-за обшлага рукава платок, тщательно вытер губы и неторопливо встал из-за стола.

— Такие разговоры лучше вести с саблей в руках, — сказал он с неизменной ледяной улыбкой. — И хотя вы старше меня по званию, смею надеяться, что из уважения к мундирам, которые носим мы оба, вы согласитесь дать мне сатисфакцию.

Фукен так и впился глазами в своего противника, но продолжал сидеть. Не дождавшись ответа, де Бурмон положил ладони на стол.

— Я отдаю себе отчет, — продолжал он все так же невозмутимо, — что правила не позволяют офицерам принимать вызов от младших по званию... Меньше всего мне хотелось бы их нарушить. Если вам угодно, давайте подождем, пока я не стану поручиком. Беда в том, поручик Фукен, что нас в любой момент могут бросить в самое пекло. Меня приводит в отчаяние мысль о том, что кто-то может убить вас раньше, чем я.

Последние слова не оставляли офицеру и человеку чести никакой иной возможности, кроме согласия драться.

Фукен поднялся на ноги.

— Когда вам будет угодно, — произнес он твердо.

— Прямо сейчас, если позволите.

Потрясенный Фредерик выдохнул распиравший легкие воздух и встал из-за стола вслед за остальными. Де Бурмон обратился к нему с непривычной серьезностью:

— Подпоручик Глюнтц. Удостоите ли вы меня чести быть одним из моих секундантов?

Фредерик с трудом выдавил утвердительный ответ, чувствуя, что жарко, мучительно краснеет. Вторым секундантом де Бурмон пригласил поручика из Второго гусарского эскадрона. Фукен выбрал пожилого ротмистра и поручика из своего полка. Все четверо — точнее трое, не считая онемевшего Фредерика, — отошли в сторону, чтобы обсудить место и условия поединка, а соперники, оставшиеся за столом в окружении товарищей, хранили молчание и старались не смотреть друг на друга.

В качестве оружия выбрали сабли, и старый ротмистр, секундант Фукена, отправился на поиски подходящего места, надежно скрытого от любопытных глаз, где никто не помешал бы дуэлянтам выяснить отношения. Выбор пал на заброшенный сад на окраине города, и участники дуэли отправились туда, освещая себе путь позаимствованными в таверне масляными фонарями, серьезные и мрачные, как того требовал момент.

Ночь выдалась жаркой, на небо высыпали звезды, а луна горела, как ножевая рана. Приготовления к поединку закончились быстро. Соперники сбросили доломаны, вошли в круг, образованный светом фонарей, и через несколько мгновений скрестили клинки.

Фукен был силен. Он дрался отчаянно, вновь и вновь наскакивал на противника, норовя поразить его в голову или грудь. Де Бурмон старался не рисковать, сосредоточившись на обороне, его стиль сделал бы честь самому искусному учителю фехтования. Рубашки обоих уже успели пропитаться потом, когда Фукен пошатнулся и отступил с тихим проклятьем, глядя, как на правом рукаве проступает кровавое пятно. Де Бурмон опустил саблю.

— Вы ранены, — сказал он учтиво, без тени торжества или злорадства. — Как вы?

Фукен побелел от ярости:

— Я? Превосходно! Продолжим!

Ночь

Де Бурмон с досадой тряхнул головой, отразил яростный выпад соперника, и один за другим нанес три стремительных как молния удара. Третьим он поразил Фукена в левый бок, нанеся своему противнику не смертельную, но все же довольно глубокую рану. Поручик побледнел, уронил саблю и упал на колени, устремив на де Бурмона мутный взгляд.

— Полагаю, этого достаточно, — сказал тот, перекладывая оружие в левую руку. — Я по крайней мере полностью удовлетворен.

Фукен пытался подняться, зажимая рану ладонью.

— Согласен, — произнес он едва слышно.

Де Бурмон убрал саблю в ножны и поклонился с непринужденным изяществом.

— Для меня драться с вами — большая честь. Разумеется, если вы захотите продолжить, когда поправитесь, я к вашим услугам.

Раненый покачал головой.

— Не стоит, — ответил он с достоинством. — Это был честный поединок.

Конфликт был исчерпан. Егерский поручик оправился от раны спустя четыре дня и всякий раз, когда разговор заходил о недавней дуэли, спешил уверить собеседников, что для него было огромной честью драться с истинным офицером и дворянином.

Вскоре этот случай обсуждал весь кордовский гарнизон, и каждый считал своим долгом прибавить к рассказу новые живописные детали. Когда молва о дуэли дошла до командира Четвертого гусарского полковника Летака, тот вызвал к себе де Бурмона и обратился к нему с гневной речью, по окончании которой молодой человек получил двадцать дней ареста. Позже, обсуждая происшествие со своим адъютантом майором Гюло, Летак громогласно хохотал:

— Черт побери, Гюло, представляю, как вытянулась физиономия Дюпюи, этого, с позволения сказать, егерского полковника, когда он узнал, что гусар проделал в лучшем из его головорезов целых две, эхем, дыры... славный был удар, говорят, хм, прекрасный удар... и опять же, теперь нас будут больше уважать, гусар есть гусар, эхем... нет, клянусь Вельзевулом, я все понимаю... субординация и все такое прочее, но честь превыше всего... А щенок де Бурмон... из хорошей семьи, между прочим... оказывается, записной дуэлист, и хладнокровен притом, выдержал мою, хм, головомойку, и бровью не повел, порода есть порода, и все такое прочее... в общем, я отправил его под арест на двадцать дней, вот уж он, должно быть, хохотал про себя... любой новобранец знает, что мы выступаем самое позднее через неделю... Понимаете,

нужно было соблюсти приличия... пустая фор-
мальность, и все такое... Только вы уж никому
об этом, Гюло.

За такую откровенность майор Гюло платил
своему командиру безграничной преданностью, служил ему не за страх, а за совесть, и не
раз был сполна вознагражден за верную службу.

Что касается назначенного де Бурмону двад-
цатидневного ареста, то его пришлось отме-
нить в силу военной необходимости. Приказ
Летака поступил в понедельник; а наутро в чет-
верг эскадрон уже покидал Кордову.

С тех пор миновало две недели. За это время
в эскадроне произошло немало важных событий, и о дуэли начали забывать.

Фредерик Глюнтц отложил саблю и посмотрел на своего друга. Вопрос не сразу сорвался с
его губ.

— Скажи, Мишель... Каково это?

— Ты о чем?

Фредерик смущенно улыбнулся. Спрашивать
о таких вещах было неловко.

— Скажи, каково это — поднять оружие против кого-нибудь... Врага, я имею в виду. Когда ру-
бишься на саблях, когда наносишь решающий
удар.

На губах де Бурмона промелькнула волчья ухмылка.

— Ничего особенного, — просто ответил он. — Кажется, будто мир вокруг тебя перестал существовать... И сердце, и разум служат тебе лишь для того, чтобы ты мог правильно ударить... Дерешься, повинуясь инстинкту.

— А как же противник?

Де Бурмон презрительно пожал плечами:

— Противник — всего лишь острие, которое ищет твою грудь, а тебе надо оказаться искуснее, быстрее и умнее, чтобы отразить его.

— Ты ведь был в Мадриде в мае, как раз во время восстания.

— Да. Но разве это был противник? — В голосе де Бурмона звучало открытое пренебрежение. — Порубить тамошний сброд не составило труда, а главарей мы расстреляли.

— А еще ты дрался с Фукеном.

Де Бурмон ответил неопределенным жестом.

— Дуэль есть дуэль, — сказал он небрежно, словно речь шла о давно известной истине, порядком навязшей в зубах и не требующей долгих рассуждений. — Дуэль — это поединок двух благородных людей, регламентированный нерушимыми правилами и призванный защитить честь обеих сторон.

— Но в ту ночь в Кордове...

— В ту ночь в Кордове Фукен не был моим врагом.

Фредерик недоверчиво усмехнулся.

— Неужели? А кем же он был? Вы обменялись по меньшей мере дюжиной сабельных ударов.

— Разумеется. Мы, друг мой, для того и собрались той ночью в саду. Чтобы обменяться сабельными ударами.

— И все равно Фукен не был твоим врагом?

Де Бурмон покачал головой и затянулся трубкой.

— Нет, — произнес он, помолчав. — Он был противником. А враг — это совсем другое.

— Например?

— Например, испанец. Вот испанцы наши враги.

Фредерик был несказанно удивлен:

— Как же так, Мишель? Ты сказал «испанцы». То есть — весь народ. Ты это имел в виду?

Мишель де Бурмон глубоко задумался. Он долго размышлял, прежде чем ответить.

— Ты ведь помнишь, что случилось в Мадриде, тогда, в мае, — веско сказал он наконец. — Знаешь, во всех этих фанатиках и уличных горлопанах было что-то поистине зловещее. Кто не был там, едва ли поймет... Разве ты не слышал про беднягу Жуньяка — его повесили на дереве и выпотрошили? Или про отравленные колодцы, про наших товарищей, которым перерезали горло во сне, про зверства, которые творят партизаны? Запомни как следует мои слова: в этом краю каждая собака, каждая птица и каждый камень — наши враги.

Фредерик не моргая смотрел на пламя свечи, стараясь убедить себя в том, что загорелые, оборванные люди, молча глядевшие вслед войскам от порогов своих беленых, пронизанных жестоким андалусским солнцем домов, и вправду его враги. Попадались все больше женщины, старики и дети. Мужчины, способные держать оружие, давно ушли в горы и теперь скрывались на поросших оливами склонах. Стоя над трупом Жуньяка, командир эскадрона майор Берре произнес жуткие, но справедливые слова:

— Они словно звери. И мы будем ставить на них капканы. Мы украсим испанцем каждое дерево на этой треклятой земле. Клянусь дьяволом.

Фредерику еще не разу не приходилось встречать испанских партизан, именовавших себя «геррильерос». Впрочем, однажды юноше едва не представился случай узнать их поближе. В тот день восемь тысяч французских солдат под началом генерала Дарнана, получивших приказ прочесать территорию и установить связь между Хаэном и Кордовой, наткнулись на большой отряд крестьян-повстанцев.

Совсем не так подпоручик Фредерик Глюнтц представлял себе войну; но это, вне всякого сомнения, и была настоящая война. Сражение больше напоминало бойню, но другого выхода у французов не было. Солдаты императора повсюду оставляли за собой повешенных партизан, немых, слепых и неподвижных свидетелей с выпученными мертвыми глазами и вывалившимися языками, голые черные тела, покрытые мириадами мух. Когда полк входил в крошечную деревеньку под названием Сесина, у Летака убили лучшего коня. Всего один выстрел из мушкета — и великолепная кобыла рухнула наземь. Стрелявшего нашли, и взбешенный Летак — «Это невыносимо, господа, такая славная кобыла, не правда ли? Беспримерная, эхем, трусость!..» — потребовал мщения:

— Вздернем-ка одного из этих дикарей, которые вечно ничего не видят и ничего не знают, лучше всего священника... надо примерно их наказать, эхем, пора искоренить эту чуму, задушить мятеж в зародыше...

Привели священника, низенького, коренастого человечка лет пятидесяти, небритого, с тонзурой, давно превратившейся в обыкновенную плешь, в коротковатой сутане, сплошь покрытой пятнами, которые лютеранин Фредерик почему-то принял за причастное вино. Ему не дали произнести ни слова; приказ Летака восприняли как приговор, не подлежащий обжалованию. Соорудили подобие виселицы, перекинув веревку через перекладину балкона городской ратуши. Священник покорно стоял между двумя гусарами, которым едва доставал до плеч, и, сжав зубы, с тоской смотрел на петлю, назначенную орудием смерти. Селение будто вымерло; на улицах не было не души, но за стенами домов, за плотно закрытыми ставнями прятались безмолвные наблюдатели. Когда на шею священнику накинули петлю, всего за несколько мгновений до того, как двое дюжих гусар потянули за другой конец веревки, он разомкнул губы и едва слышно, но вполне внятно произнес: «Дети сатаны!» Потом старик плюнул в сторону сидевшего верхом Летака и без всякого сопротивления позволил палачам завершить свое дело. Едва солдаты покинули деревню — Фредерик командовал в тот день арьергардом, — на площади появились одетые в черное старухи и принялись молиться, преклонив колени перед телом казненного.

Спустя четыре дня патруль обнаружил на обочине дороги труп вестового. Это был под-

Ночь

поручик из Второго гусарского эскадрона, худой, меланхоличный юноша, вместе с которым Фредерик проделал путь из Бургоса в Аранхуэс, когда получил назначение в полк. Бедолагу Жуньяка повесили на дереве за ноги, так, что его голова почти касалась земли. Несчастному вспороли живот, и выпущенные наружу внутренности свисали чудовищным, кровавым комом, вокруг которого роились мухи. Ближайшая деревня под названием Посокабрера была совершенно пуста; ее жители ушли неизвестно куда, унеся с собой все пожитки и припасы до последнего пшеничного зернышка. Летак приказал сравнять селение с землей, и полк продолжал свой поход.

Такова была испанская война, и Фредерик отлично усвоил ее главные правила: «Никогда не выезжать одному, ни в коем случае не терять из виду товарищей, не заезжать без надобности в лес или деревню, не принимать у местных жителей ни еду, ни питье, прежде чем они сами их не попробуют, никогда не колебаться, если нужно разрубить на куски одного из этих сукиных детей». Все, разумеется, верили, что это ненадолго. Показательные казни вот-вот сделают свое дело. Достаточно повесить или расстрелять побольше диких каналий, и тогда в Испании наступит долгожданный покой, а войско

Императора сможет отправиться в новые, более славные, походы. Слухи о том, что англичане готовят высадку на полуострове, наполняли сердце Фредерика Глюнтца надеждой на встречу с достойным противником, сражения, которые войдут в историю, и возможность стяжать славу в настоящей войне, где с врагом встречаются лицом к лицу. Так или иначе, против генерала Дарнана на этот раз выступила хорошо организованная регулярная армия. А потому спустя несколько часов подпоручику Фредерику Глюнтцу из Страсбурга предстояло принять крещение огнем и кровью.

Де Бурмон тщательно выколачивал трубку, морща лоб от старания. Откуда-то с севера донесся далекий, но отчетливый раскат грома.

— Надеюсь, завтра дождя не будет, — произнес Фредерик, ощутив укол тревоги. В дождливые дни ноги лошадей застревали в грязи, и кавалерия теряла скорость. На мгновение юноша вообразил чудовищную картину: неподвижные ряды всадников, застывшие в вязкой глине.

Его друг покачал головой:

— Вряд ли. Я слышал, в эту пору дожди в Испании — большая редкость. С Божьей помощью будет тебе завтра кавалерийская атака. — На этот раз он улыбнулся широко и сердечно. — То есть я хотел сказать, нам будет. Нам двоим.

От слов «нам двоим» у Фредерика потеплело на сердце.

Что может быть прекраснее дружбы на войне, в походной палатке, при свечах, когда до сражения остаются считаные часы! Если на войне вообще может быть что-то хорошее — это боевое братство.

— Ты, верно, станешь надо мной смеяться, — произнес Фредерик вполголоса, чувствуя, что может говорить откровенно, — но мне всегда казалось, что первая в моей жизни атака будет чудесным солнечным утром, чтобы конская сбруя сверкала в ярких лучах, а наши доломаны были в пыли от бешеной скачки.

— «В этот миг твои друзья — конь, клинок и Бог», — продекламировал де Бурмон, опустив веки.

— Кто это сказал?

— Понятия не имею. Точнее, не помню. Я прочел эти слова много лет назад — в книге, которая хранилась в библиотеке моего отца.

— Потому ты стал гусаром? — спросил Фредерик.

Де Бурмон задумался.

— Возможно, — заключил он наконец. — Если честно, я и сам не знаю, отчего пошел в кавалерию. Но в Мадриде я понял, что лучший мой друг — сабля.

— Возможно, завтра ты изменишь мнение и назовешь лучшим другом своего коня Ростана. Или Господа.

— Возможно. Но если уж придется выбирать, я предпочитаю, чтобы конь меня не подвел. А ты?

Фредерик пожал плечами:

— Я пока и сам не знаю. Сабля, — он провел рукой по украшенной темным камнем гарде, — не выпадет из опытной и твердой руки. Мой Нуаро — изумительное животное, чтобы сладить с ним, мне и шпоры почти не требуются. А Бог... Что ж, хоть я и родился в год взятия Бастилии, родители воспитали меня в строгости и страхе Божьем. Конечно, в армии царит совсем иной дух, но не так-то легко изменить тому, во что верил с детства. Все равно во время битвы у Бога будут и другие дела, кроме как присматривать за мной. А вот испанцы, похоже, верят в своего безжалостного папистского Бога посильнее императорских гусар и на каждом шагу повторяют, что Он с ними, а никак не с нами, порождениями дьявола, которые будут гореть в аду. Возможно, когда они потрошили беднягу Жуньяка и вешали его на той оливе, это было подношение Христу, вроде языческой жертвы...

— Что ты хочешь этим сказать? — нетерпеливо спросил де Бурмон, опечаленный воспоминанием о Жуньяке.

— Я хочу сказать, что остаются сабля и конь.

— Вот речь гусара. Полковник Летак одобрил бы такие слова.

Сняв доломан и сапоги, Мишель растянулся на кровати. Он сложил руки на груди, прикрыл глаза и принялся насвистывать сквозь зубы итальянскую песенку. Фредерик достал из жилетного кармана серебряные часы с собственными инициалами, выгравированными на крышке, — подарок отца, сделанный в тот день, когда сын покидал Страсбург, чтобы поступить в Военную школу. Половина двенадцатого ночи. Юноша нехотя поднялся на ноги, потянулся и аккуратно пристроил саблю к поддерживающему палатку столбу, рядом с седлом и двумя пистолетами в кобурах.

— Пойду прогуляюсь, — сказал он де Бурмону.

— Лучше попробуй заснуть, — отозвался тот, не открывая глаз. — Завтра будет безумный день. Вряд ли удастся отдохнуть как следует.

— Я только взгляну, как там Нуаро. Я быстро.

Фредерик накинул на плечи доломан и вышел из палатки, с наслаждением вдыхая прохладный ночной воздух.

Пламя бросало причудливые отблески на лица сидящих у костров солдат. Задержавшись на минуту у огня, юноша отправился на конюшню, откуда время от времени доносилось тревожное ржание.

Эскадронный конюх вахмистр Удэн играл в карты с другими унтер-офицерами. На столе среди засаленных карт стояли бутылка вина и несколько стаканов. Увидев Фредерика, игроки поспешно вскочили на ноги.

— К вашим услугам, господин подпоручик! — гаркнул Удэн, крупный, усатый малый с красным от вина лицом. — В конюшне никаких происшествий.

Вахмистр был угрюмый ветеран, любитель выпить и подраться, но с лошадьми управлялся как никто другой. Он носил в левом ухе золотое колечко и красил волосы, чтобы скрыть седину. Мундир Удэна, как у большинства гусар, был искусно расшит и украшен шнурами. Вкусы кавалеристов не отличались разнообразием.

— Я пришел проведать своего коня, — сообщил Фредерик.

— Как вам будет угодно, сударь, — ответил вахмистр, с явной неохотой соблюдая субординацию по отношению к мальчишке, который годился ему в сыновья. — Желаете, чтобы я вас сопровождал?

— Этого не требуется. Надеюсь, я найду Нуаро там, где оставил его вечером.

Ночь

— Так точно, господин подпоручик. В загоне для офицерских лошадей, у самой стены.

Фредерик двинулся дальше по темной тропинке, а Удэн, проводив его исполненным деланного почтения взглядом, вернулся к картам. Вахмистр терпеть не мог, чтобы посторонние совались к его лошадкам. Когда эскадронные кони были не под седлом, Удэн считал их своей собственностью. Он тщательно следил за тем, чтобы прекрасные орудия войны в редкие мирные часы были чистыми и сытыми и ни в чем не нуждались. Как-то раз, задолго до испанского похода, Удэн крепко повздорил с вахмистром кирасир, позволившим себе пренебрежительно отозваться об одном из доверенных ему коней. Кирасир отправился прямиком на небеса с чудовищной сабельной раной на лбу, и ни один из невольных свидетелей этой сцены никогда больше не позволял себе непочтительных слов о конях вахмистра Удэна.

Нуаро был великолепным семилетним жеребцом, черным, как ночь, с красиво подстриженными хвостом и гривой. Его небольшой рост с лихвой возмещали крепкие ноги и широкая грудь. Фредерик приобрел его в Париже, полностью опустошив свой и без того тощий кошелек, но гусарскому офицеру полагалось иметь доброго коня. В решающий час он мог спасти жизнь своему седоку.

Нуаро меланхолично жевал сено у беленой стены, окружавшей оливковую рощу. Почуяв приближение хозяина, он повернул голову и тихонько заржал. Фредерик полюбовался благородной мордой своего коня, похлопал его по гладкому крупу, а потом запустил руку прямо в сено и приласкал горячие губы животного.

На горизонте сверкнула молния и несколько мгновений спустя где-то вдалеке прокатился гром. Лошади испуганно заржали, и Фредерик, невольно содрогнувшись, поднял глаза к мрачному небу. В двух шагах от загона бесшумно, как ночные тени, прошли часовые. Фредерик снова посмотрел на небо, подумал о дожде, о повешенном на дереве Жуньяке, о злобных темнолицых дикарях и впервые в жизни ощутил во рту солоноватый привкус страха.

Юноша обхватил рукой красивую голову Нуаро и нежно потрепал его бархатную гриву:

— Не подведи меня завтра, дружок.

Мишель де Бурмон еще не спал; он поднял голову, едва Фредерик вошел в палатку.

— Все в порядке?

— Конечно. Я только посмотрел, как там лошади; Удэн хорошо о них заботится.

— Этот вахмистр знает свое дело. — Де Бурмон ходил проведать лошадей парой часов раньше. — Будешь спать или выпьешь коньяку?

— По-моему, это ты хотел спать.

— И буду. Но сначала выпью немного.

Фредерик достал из седельной сумки своего друга обтянутую кожей флягу и разлил коньяк в металлические стаканы.

— Там что-нибудь осталось? — спросил Фредерик.

— Пара глотков.

— Тогда оставим их на завтра. Вдруг Франшо не успеет наполнить ее снова перед выступлением.

Друзья со звоном сдвинули стаканы; Фредерик пил медленно, де Бурмон проглотил свой коньяк залпом. Как полагается гусару.

— Боюсь, дождь будет, — произнес Фредерик после недолгого раздумья. В голосе его не было ни тени тревоги; он просто высказал вслух мысль. И все же, не успев договорить, юноша пожалел о своих словах. К счастью, де Бурмон повел себя великолепно.

— Знаешь что? — произнес он тоном заговорщика. — Я сам подумал об этом всего минуту назад, и, признаться, начал беспокоиться: грязь и все такое, сам понимаешь. Но у дождя есть и положительные стороны; пушечные ядра станут застревать в мокрой земле, и картечь не смо-

жет бить слишком далеко. Нам будет трудно
драться под дождем, но ведь *им* тоже... И, чтобы
покончить с этой темой, могу тебя заверить, что
в эту пору дожди в Испании редкость.

Фредерик опорожнил свой стакан. Он вовсе
не любил коньяк, но гусару полагалось пить и
сквернословить. Коньяк все еще давался юноше
легче ругательств.

— Дождь сам по себе меня не слишком бес-
покоит, — откровенно признался Фредерик. —
Какая разница, где умирать: в грязи или на сухой земле, к встрече со смертью все равно не
подготовишься. Конечно, если ты не можешь
управлять своими чувствами, когда они похожи
на страх...

— А вот это слово, сударь, — де Бурмон сер-
дито нахмурил брови, подражая полковнику Ле-
таку, — гусару не пристало произносить, эхем,
никогда...

— Разумеется. Я готов взять его обратно. Гусар не знает страха смерти; а если и узнает однажды, пусть это остается его личным делом, —
продолжал Фредерик, следуя за причудливыми
извивами собственных раздумий. — Но как быть
с другим страхом, страхом, что удача изменит
тебе в бою, что слава обойдет тебя стороной?

— А! — воскликнул де Бурмон, всплеснув руками. — Такой страх я уважаю.

— Об этом я и говорю! — пылко заключил Фредерик. — Мне совершенно не стыдно признаться, что я действительно боюсь — боюсь, что дождь или еще какая-нибудь проклятая стихия помешает моей встрече со славой. Я думаю... Я думаю, что смысл жизни человека вроде тебя или меня в том, чтобы бросаться в бой с пистолетом в одной руке и саблей в другой, с криком: «Да здравствует Император!» А еще, хотя признаваться в этом немного стыдно, — продолжал он, слегка понизив голос, — я боюсь... Впрочем, это не совсем подходящее слово. Не хотелось бы пропасть ни за что, кануть во тьму, ничего не совершив, попасться на дороге какому-нибудь зверью, как несчастный Жуньяк, вместо того, чтобы скакать под императорским орлом навстречу меткой пуле или честному клинку и умереть с оружием в руках, как подобает мужчине.

При упоминании Жуньяка де Бурмон побледнел.

— Да, — сказал он хрипло, отвечая скорее собственным мыслям. — Этого я и сам боюсь.

Несколько мгновений друзья молчали — каждый думал о своем. Наконец де Бурмон тряхнул головой и потянулся к фляжке с коньяком.

— Черт побери! — воскликнул он чересчур бодро. — А что, приятель, давай уж допьем эти два глотка, и пусть Господь с интендантами пошлют нам завтра еще.

Вновь зазвенели стаканы, но мысли юноши были уже далеко, в родном городе, у постели, в которой умирал его дед. Как ни мал был тогда Фредерик, в его памяти остались горестные картины: плотно закрытые ставни, не пропускавшие в дом солнечный свет, женский плач в гостиной, мокрые глаза отца, черные сюртуки и красные физиономии родственников — уважаемых в городе купцов. Дед полулежал в кровати, опираясь на подушки, его исхудавшие, утратившие былую силу руки покоились на одеяле. Болезнь заострила орлиные черты старика, еще при жизни превратив его лицо в посмертную маску.

«Он больше не хочет жить. Просто не хочет...» Слова матери, сказанные едва различимым шепотом, потрясли маленького Фредерика до глубины души. Старый Глюнтц давно отошел от дел, поручив торговлю своему сыну. Тяжкий недуг, поразивший суставы, до конца дней приковал его к постели, лишив надежды не только на выздоровление, но и на быструю, легкую смерть. Конец приближался неуклонно, но мучительно медленно. В один прекрасный день старик устал ждать, отказался от пищи, и с тех пор лежал неподвижно, не внемля отчаянным призывам домашних, всеми оставшимися силами торопя смерть. Последние дни своей жизни старый купец провел в темной спальне, отвечая на мольбы детей и внуков непостижимым молчанием. Его земное существование подошло к концу. Проницательный, как все дети, Фредерик догадался, что дед больше ничего не ждал от жизни и потому добровольно отказался от борьбы за нее.

Предстоящая битва не слишком тревожила юношу. Фредерик был готов ко всему — даже к тому, что валькирии из северных саг, которыми он зачитывался в детстве, спустятся на поле боя, чтобы пометить обреченного героя своими поцелуями. Молодой человек знал, что будет достоин мундира, который носит. Когда он вернется в Страсбург, Вальтер Глюнтц сможет по-настоящему гордиться своим сыном.

Де Бурмон вновь завалился на кровать и моментально заснул, на этот раз — очень крепко. Фредерик снял сапоги и тоже лег, не погасив свечи. Сон пришел не сразу и неглубокий, тревожный, полный причудливых образов. Перед глазами проплывали унылые, мрачные лица, длинные пики, обезумевшие лошади и обнаженные сабли, сверкающие в лучах солнца. Со страхом и тоской в сердце юноша искал в небе валькирий и выдыхал с облегчением, не увидев их. Фредерик несколько раз просыпался от собственных стонов с пересохшим горлом и горящим лбом.

II
Заря

До рассвета было еще далеко, когда в палатку заглянул Франшо, ординарец обоих офицеров. Это был низкорослый, уродливый человечек, главное достоинство которого заключалось в виртуозном умении добывать съестные припасы, которых в испанских частях вечно не хватало. Не говоря уже о том, что он был на редкость исполнителен и учтив.

— Майор Берре приглашает господ офицеров на совет, — бодро сообщил он, представ перед глазами не вполне проснувшихся подпоручиков. — Через полчаса, в его палатке.

Фредерик с трудом прогнал сон. Всю ночь он ворочался на жесткой походной кровати и задремал как раз перед появлением Франшо. Де Бурмон был уже на ногах, но мучительно зевал и протирал глаза.

— Похоже, великий день настал, — заметил он, краем глаза следя за тем, чтобы ординарец чистил сапоги с должным усердием. — Который час?

Фредерик достал карманные часы:

— Половина четвертого. Ты выспался?

— Я спал как младенец, — сообщил де Бурмон, в немалой степени покривив душой. — А ты?

— И я как младенец, — ответил Фредерик, имевший для такого заявления еще меньше оснований. Друзья понимающе переглянулись.

Тем временем Франшо зажег масляной фонарь, принес кувшин кипятку и поставил на пол ведро с холодной водой. Друзья умылись, затем Франшо аккуратно выскоблил их щеки бритвой; по праву старшинства, первым он тщательно выбрил лицо де Бурмона и ловко подвил ему кончики усов. С Фредериком ординарец управился куда быстрее; у юноши еще не было настоящей бороды, на лице у него росла лишь редкая щетина. Когда Франшо убрал бритву, Фредерик поглядел вверх. Небо полностью затянули облака; звезд не было видно.

Отовсюду раздавался шум пробуждавшегося лагеря. То и дело слышались отрывистые, раздраженные приказы унтер-офицеров, в свете факелов у палаток виднелись силуэты гусар, собиравшихся в поход. Егерская рота, расположившаяся поблизости от эскадрона, уже готова была выступать. Командиры строили солдат, подгоняя их резкими окриками. Другая рота, разбившись по четыре, уже поднималась по склону холма, теряясь во мраке среди олив.

Франшо помог офицерам натянуть сапоги. Фредерик застегнул пуговицы на чикчирах, по восемнадцать с каждой стороны от бедра до щиколотки и еще восемнадцать пуговиц на расшитом золотом доломане. Надев кожаную перевязь, юноша прицепил к ней саблю, и ножны со звоном задели шпоры. Затем он расправил ворот и манжеты рубашки, протер лицо и руки душистым одеколоном, натянул перчатки из тонкой овечьей кожи и взял под мышку роскошный кольбак, украшенный мехом, — знак отличия офицеров элитарных частей. Де Бурмон, только что проделавший те же манипуляции в том же порядке, оглядел друга с ног до головы и явно остался доволен его видом.

— После тебя, Фредерик! — произнес он, откинув полог.

— После тебя, Мишель!

Друзья обменялись поклонами, улыбками и сердечным рукопожатием. А потом вышли из палатки, свежевыбритые и подтянутые, звеня шпорами, наслаждаясь свежим предутренним воздухом, такие молодые и красивые в своих роскошных мундирах, готовые хоть сейчас вызвать на поединок саму смерть или доскакать прямо до затянутого тучами горизонта.

Майор Берре и восемь эскадронных офицеров склонились над застеленным картами столом. На месте правого глаза майора, потерянного при Аустерлице, красовалась черная повязка, которая придавала старому вояке свирепый вид. Ни он, ни ротмистр Домбровский в ту ночь не спали. Полковник Летак битых три часа объяснял им, что требуется от полка в предстоящей операции.

— Испанцы стоят здесь и здесь, — медленно говорил майор, упрямо глядя в карту, словно на ней и вправду можно было рассмотреть вражеское войско. — Разведка сообщает, что основная часть операции должна развернуться среди вот этих холмов. В задачу полка входит защита левого фланга. И участие в наступлении, если понадобится. По меньшей мере один эскадрон должен оставаться в резерве. Впрочем, это не наша забота. Мы с вами, Бог даст, пригодимся в первой линии.

Пригодиться в первой линии для гусар из Четвертого эскадрона означало пойти в атаку.

При свете фонаря майор разглядел на лицах подчиненных довольные ухмылки. Лишь ротмистр Домбровский, стоявший по правую руку от Берре, оставался непроницаемо спокойным. Седовласый ротмистр с густыми соломенными усами напоминал повидавшего немало сражений ветерана, каким он и был на самом деле. Этот поляк дрался под французскими знаменами по всей Европе; бесконечные походы научили его хладнокровию и сдержанности. Даже отдавая приказы, ротмистр ни разу не повысил голоса. Это был угрюмый и замкнутый человек, с одинаковым упорством избегавший и общества своих товарищей, и дружбы старших офицеров. Зато Домбровский слыл храбрым солдатом, ловким наездником и толковым командиром. Его мало кто любил, но уважали все без исключения.

— Есть у кого-нибудь вопросы? — спросил Берре, продолжая вглядываться в карту с таким упорством, будто от этого зависел исход предстоящей кампании.

Смуглолицый поручик Филиппо, насмешник и фанфарон, кашлянул в притворном смущении:

— Известна ли численность противника?

Берре недовольно поморщился, изогнув бровь над единственным глазом, словно хотел спросить: «Господи, ну какая разница?»

— Между Лимасом и Пьердас-Бланкас мы насчитали приблизительно восемь-десять тысяч человек, — пояснил он нехотя. — Инфантерия, кавалерия, артиллерия и партизанские отряды... Первое столкновение должно произойти здесь, — он указал место на карте, — а потом здесь, — майор отметил на карте другую точку и соединил их воображаемой дугой. — Наша задача оттеснить их в горы и заставить принять битву в долине, что, как вы понимаете, совершенно им невыгодно. Теперь я рассказал вам почти все, что знаю. Есть еще вопросы, господа?

Больше вопросов не было. Даже новичок Фредерик понимал, что разъяснения майора были пустой формальностью. Как и весь этот совет; решения принимали совсем другие инстанции, и сам полковник Летак едва ли был посвящен в планы генерала Дарнана. От эскадрона требовалось храбро сражаться и честно выполнять приказы.

Берре свернул карты, давая понять, что совет окончен.

— Благодарю вас, господа. Это все. Полк выступает через полчаса; если мы не будем терять времени, рассвет застанет нас на марше.

— Строимся по четыре, — нарушил молчание Домбровский. — И помните: опаснее партизан только испанские уланы. Они настоящие дикари. И наездники отменные.

— Неужто лучше нас? — усмехнулся подпоручик Жерар.

Домбровский ответил Жерару взглядом, холодным, как снега его родной Польши.

— Ничуть не хуже нас, — ответил он невозмутимо. — Я был при Байлене.

Вот уже две недели слово «Байлен» означало для французов катастрофу. Три императорские дивизии отступили под натиском двадцати семи тысяч испанцев, потеряв две тысячи убитыми и девятнадцать тысяч ранеными, утратив полсотни пушек, четыре швейцарских штандарта и столько же французских знамен... В палатке воцарилось гробовое молчание, а майор Берре укоризненно посмотрел на Домбровского. Чтобы сгладить неловкость, ординарец майора поспешно убрал карты и поставил на стол бутылку коньяка. Берре поднял свой бокал.

— За Императора! — провозгласил он.

— За Императора! — откликнулись все как один, и дружно звякнули шпорами, одним махом проглотив коньяк.

Фредерик почувствовал, как огненная жидкость наполняет его желудок, и крепко сжал зубы, чтобы никто не заметил на его лице гримасы отвращения. Офицеры покидали палатку. Лагерь наполнялся скрежетом железа и скрипом седел, криками и топотом ног. Небо было темным, без единой звездочки. Фредерик отчаянно мерз и ругал себя за то, что решил снять жилет. Однако припомнив, в какой жаркой стране находится, молодой человек понял, что был прав; к полудню солнце вовсе утратит жалость, и лишняя одежда станет непосильным грузом.

Рядом шагал де Бурмон, погруженный в собственные мысли. Фредерик ощутил в желудке мерзкое жжение.

— Коньяк Берре явно не пошел мне на пользу, — пробормотал он.

— А мне и подавно, — согласился де Бурмон. — Надеюсь, Франшо догадался сварить нам кофе.

К счастью, ординарец не обманул его ожиданий. В палатке друзей ожидали ароматный кофейник и галеты. Позавтракав, молодые люди в последний раз проверили снаряжение и отправились седлать коней.

Построение эскадрона происходило при свете воткнутых в землю факелов. Сто восемь человек поправляли сбрую на своих лошадях, подтягивали подпругу, проверяли карабины, прежде чем приторочить их к седлам. Фредери-

Заря

ку карабина не полагалось. Считалось, что гусарский офицер должен совершать чудеса храбрости при помощи сабли и пары пистолетов.

Франшо уже оседлал Нуаро, однако Фредерик тщательно проверил крепившие седло ремни и лично убедился, что оно держится превосходно. Во время битвы два лишних дюйма, на которые затянута подпруга, могут оказаться расстоянием, отделяющим жизнь от смерти. Аккуратно поправив каждый ремешок, юноша наклонился, чтобы посмотреть, хорошо ли подкован конь. Выпрямившись, он прислонился плечом к меховой оторочке седла и ласково потрепал Нуаро по гриве.

Рядом де Бурмон проделывал то же самое. Под стать его серому в яблоках красавцу коню было шикарное седло, украшенное мехом леопарда, которое наверняка стоило своему владельцу целого состояния. Среди офицеров было принято ценить гусара сообразно стоимости его амуниции. А де Бурмона никто бы не обвинил в излишней скупости.

Поймав взгляд Фредерика, гусар широко улыбнулся. Золоченые шнуры его доломана тускло блестели при свете факелов.

— Порядок? — поинтересовался де Бурмон.

— Порядок, — отозвался Фредерик, ощущая плечом жар конского бока.

— Чует мое сердце, нас ждет славный денек.

Фредерик поднял глаза к темному небу:

— Значит, тучи рассеются, и мы увидим солнце победы.

Де Бурмон расхохотался:

— Утро, конечно, мрачноватое, но день будет чудесный. Наш день, Фредерик.

Майор Берре, ротмистр Домбровский, поручик Маньи и штаб-трубач были уже в седле. Гусары продолжали стоять на земле, перебрасываясь остротами и подбадривая друг друга в ожидании схватки. Пламя факелов выхватывало из темноты кивера и густые усы, покрытые шрамами лица ветеранов и нетерпеливые усмешки новобранцев, никогда прежде не бывавших в серьезном деле. Фредерик задержался на гусарах взглядом; то была элита, сливки французской легкой кавалерии, виртуозные наездники, настоящие солдаты, пронесшие знамя Франции по всей Европе. И он, Фредерик Глюнтц из Страсбурга, девятнадцати лет от роду, был среди них. От одной мысли об этом сердце юноши наполнялось гордостью.

Маркитантки, прибывшие с интендантским обозом, громогласно приветствовали солдат. Гусары отвечали громким хохотом и шутками самого рискованного свойства. Однако сколько Фредерик ни напрягал зрение, он сумел разглядеть лишь неясные тени, которые двигались в темноте под скрип колес и топот лошадиной упряжки.

«Разве не удивительно, — размышлял он, — что в столь торжественный момент здесь звучат женские голоса?» Сборы эскадрона на битву представлялись юноше сугубо мужским ритуалом, исключавшим не только присутствие женщин, но и саму возможность услыхать среди ночи обожженные водкой голоса маркитанток. Фредерик неприязненно поджал губы, машинально лаская гриву Нуаро. В детстве он прочел о рыцарях Храма, суровых и гордых монахах-воинах, которые сражались с сарацинами в Палестине, а потом впали в немилость у европейских королей, возжелавших их несметных сокровищ, и умерли на костре, наслав на своих палачей страшное проклятие. В мире храмовников женщинам не было места. Рыцари посвятили себя богу, чести и войне. Превыше всего они ценили боевое братство и никогда не нарушали клятв верности, данных своим товарищам.

Фредерик отыскал взглядом де Бурмона. Молодой человек не сомневался, что с Мишелем его связало нечто большее простой дружеской привязанности, которая часто возникает между офицерами одного эскадрона. Вдвоем они присягнули на верность славе. Это ради нее они служили Императору и Франции, во имя ее готовы были пронести орлиное знамя хоть до самых адских врат. Слава сделала их братьями, и даже много лет спустя, оказавшись в разных концах земли, они не предадут своей дружбы. Воображение Фредерика рисовало величественные картины: вокруг кипит сражение, у де Бурмона убили коня, сам он, с непокрытой головой, отчаянно обороняется, но силы неравны, и, когда надежды совсем не остается, верный друг спешит закрыть героя собой и принять смерть вместо него. Или сам Фредерик повержен, враги уже готовы добить раненого гусара, на помощь названому брату приходит де Бурмон. Или оба они, покрытые пылью и кровью, дерутся как львы, защищая последнего имперского орла, и успевают перед гибелью обменяться прощальной улыбкой.

Нет. Женщины здесь определенно лишние. Им полагалось наблюдать за битвой издалека, чтобы пролить из прекрасных глаз хрустальные слезы, оплакивая геройскую смерть гусара... Признаться, у самого Фредерика уже была сердечная тайна. Юноша повстречал свою первую любовь за пару дней до отъезда в Страсбурге, в доме Циммерманов. То была прелестная девушка неполных семнадцати лет, с нежным как цветок лицом, шелковистыми светлыми кудрями и очами, синими, будто небо Испании. Фредерик поклонился Клэр Циммерман с изяществом истинного офицера, лихо щелкнув ка́блуками начищенных до блеска сапог и с блестящей небрежностью сбросив с плеча алый ментик, а девушка ответила ему нежной улыбкой.

Молодые люди обменялись лишь парой учтивых слов. Он молил Бога, чтобы она не придала значения предательскому румянцу, заливавшему его щеки. Она покраснела ничуть не меньше, смущенная и польщенная вниманием, которое оказал ей элегантный и стройный офицер в парадной форме цвета индиго и алом ментике, только вот беда, слишком молодой, чтобы носить роскошные усы — украшение любого гусара. Впрочем, это было не так уж важно, ведь юный офицер отправлялся на самую настоящую войну, в далекий и враждебный край. Встреча длилась несколько мгновений, затем старый полковник, друг семьи, увлек Фредерика прочь, Клэр поспешно опустила глаза и принялась играть своим веером, чтобы скрыть смущение, чувствуя на себе завистливые взгляды других барышень.

Возможно, если бы Фредерик вернулся, покрыв себя славой, воспоминание о той короткой встрече положило бы начало великой любви. Однако в ту ночь, под испанским небом, вовсе не синим, будто глаза Клэр, а черным, как адская бездна, салон Циммерманов в Страсбурге казался Фредерику Глюнтцу слишком далеким.

Кавалерийский эскадрон, принадлежавший к тому же полку, уже потянулся прочь, исчезая во мраке, среди олив. Топот копыт напоминал шум стремнины. Из круга света, образованного факелами, донесся голос майора Берре:

— Эскадрон! ПО КОНЯМ!

Трубач отозвался на приказ пронзительным сигналом. Фредерик поспешно нахлобучил медвежий кольбак и сунул ногу в стремя. Оказавшись в седле, он поправил на левом бедре ташку красной кожи, на которой был вышит имперский орел и номер полка. Левую руку в тонкой перчатке Фредерик положил на эфес сабли, а правой сжал узду. Нуаро бил копытом и встряхивал головой, готовый подчиниться малейшему движению своего седока.

Майор Берре легкой рысью проскакал перед эскадроном, за ним, будто верная тень, следовал трубач. Фредерик повернулся к де Бурмону, который сдерживал своего коня, плавно натягивая поводья.

— Началось, Мишель!

Де Бурмон, который пытался усмирить коня, лишь кивнул в ответ. Внушительных размеров кольбак делал его мрачным.

— Началось, и, сдается мне, это хорошее начало, — заметил он, подъехав к Фредерику. — Однако еще есть время чуток поболтать. Домбровский сказал, что дело для нас найдется к утру, не раньше.

— Все равно наше время пришло.

— Дай Бог!

— Удачи, Мишель!

— Удачи, брат! Смотри, следи за конем; а уж я с тебя глаз не спущу. Потом буду рассказывать дамам о подвигах своего друга Фредерика Глюнтца. В первую очередь я, конечно, имею в виду прелестное синеглазое создание, о встрече с которым ты имел глупость мне рассказать.

Конь де Бурмона нетерпеливо вскинул голову.

— Тихо, тихо! — прикрикнул всадник. — Спокойно, Ростан, какого черта! Видишь, Фредерик? Даже лошадям не терпится в битву. Подумать только, всего два часа назад мы храпели в своих постелях, а теперь все божьи твари готовы драться. Вот что такое война. А если тебе станет одиноко, только поверни голову — и я тут как тут... Скорей бы настал день! Сегодня сам дьявол от нас не уйдет. Богом клянусь, знатный будет денек! Только ты береги себя. Будь осторожен, чтоб тебя черти разорвали!

И, пригнувшись к крупу с ловкостью опытного всадника, де Бурмон поспешил назад, чтобы занять свое место в строю. Фредерик не отрываясь смотрел на ряды неподвижных и безмолвных всадников в гусарской форме, со шнурами, горящими при свете факелов тусклым золотом. Мимо галопом проскакал ротмистр Домбровский, рискуя сломать себе шею в темноте. Истинный поляк, хладнокровный и гордый. Фредерик невольно залюбовался его величавой посадкой и надменным лицом.

Трубач сыграл сигнал к атаке. Фредерик пропустил шесть рядов гусар, скакавших стремя в стремя, по четыре всадника в каждом ряду, и, слегка натянув поводья, пустил Нуаро вперед, чтобы занять свое место. Эскадрон выезжал на дорогу, оставив позади круг из горящих факелов. Обогнув стену, строй начал подниматься вверх по склону, теряясь во тьме.

Кое-кто напевал сквозь зубы, другие переговаривались шепотом. Время от времени ряды облетала чья-нибудь острота. Однако бо́льшая часть гусар ехала молча, погрузившись в собственные размышления, воспоминания или тревоги. Фредерик подумал, что толком не знает никого из них. Конечно, он успел познакомиться с некоторыми офицерами, но почти не знал унтер-офицеров и рядовых, включая тех, кто находился под его началом: вахмистра Пинсара, капралов Мартена и Критона... Был еще гусар по имени Лючани: Фредерик запомнил этого корсиканца, считавшего своим долгом сообщать всем и каждому, что император — его земляк. Остальные солдаты, даже те, кого он знал в лицо и с кем ему довелось переброситься парой слов, оставались безымянными. Теперь Фредерик жалел, что не успеть познакомиться с ними поближе. Спустя несколько часов все они, плечом к плечу, встретят общую судьбу. Победа или катастрофа, жизнь или смерть ожидают в предутренней тьме что офицера, что рядового. Двенадцать безымянных солдат были его боевыми товарищами, рядом с ними предстояло ему сражаться и, возможно, умереть. И теперь Фредерик злился на себя за то, что не подумал об этом раньше.

Блеснула молния, и вдалеке прокатились раскаты грома. Лошади начали волноваться, и Фредерик с трудом удерживал Нуаро в строю. Какой-то гусар громко выругался.

— Ну и вымокнем же мы сегодня, ребята! Уж поверьте старине Жан-Полю.

«Хоть одного я теперь знаю по имени», — подумал Фредерик. Темнота не позволяла разглядеть лицо гусара. Судя по голосу, то был один из ветеранов.

— Все лучше, чем жариться на солнце, — откликнулся другой голос. — Я слыхал, при Байлене...

— Пошел ты к черту в зубы со своим Байленом, — отвечал Жан-Поль. — Как только рассветет, погоним этих оборванцев по всей Андалусии. Ты разве не слышал, что полковник вчера сказал?

— Нам бы твои уши, — заметил кто-то. — Они у тебя, как известно, самые большие в полку.

— За своими следи, — огрызнулся ветеран. — А не то отхвачу при первом удобном случае.

— Ты и еще кто? — глумливо поинтересовался гусар.

— Ты, кажется, Дюран?

— Дюран. И я спросил, сколько народу ты позовешь в помощники, когда соберешься отрезать мне уши.

— Погоди, вот спешимся, тогда посмотрим, кто чего стоит...

Фредерик решил, что настало время вмешаться.

— Прекратить разговоры! — приказал не допускающим возражений тоном.

Перепалка мгновенно угасла. В наступившей тишине было слышно, как Жан-Поль ворчит себе под нос:

— Наш подпоручик, чтоб его черти взяли! Хорохорится, а сам еще пороху не нюхал... Ничего, красавчик, посмотрим, что ты запоешь, когда рассветет!

В ответ раздались негромкие смешки, но конский топот почти заглушил их.

Бесконечная вереница наездников двигалась сквозь тьму. Сабли, висевшие у каждого гусара на левом бедре, то и дело задевали стремена и шпоры, и по рядам всадников поминутно пробегал мелодичный звон. Чтобы не ломать строй, гусары старались держаться поближе друг к другу, и время от времени у какого-нибудь гусара срывалось невольное проклятье, когда его конь задевал скакавшую впереди лошадь. Со стороны эскадрон походил на мрачную кавалькаду призрачных всадников.

Внезапно небо осветило ясное зарево, будто от пожара. С тревогой вглядевшись в пылающие небеса, Фредерик понял, что впереди что-то горит. Зарево стало ярче, и впереди возникли четкие силуэты домов. Их белые стены отчего-то напомнили юноше погребальные саваны; эскадрон въезжал в деревню.

— Вот она, Пьердас-Бланкас, — произнес один из гусар, но никто не обратил внимания на его слова.

Селение казалось совершенно безлюдным, лишь конский топот нарушал тишину. Почти все дома были заперты, как будто жители в полном составе покинули деревню. Хотя скорее всего они просто укрылись за белыми стенами и наблюдали за адской кавалькадой сквозь щели в оконных ставнях. Потонувшее во мраке немое селение выглядело настолько жутко, что Фредерика пробрала дрожь.

«Это и есть война», — подумал юноша. Люди и кони, бредущие куда-то в ночи, деревни, названий которых никто не помнит, короткие привалы на бесконечном пути. И мрак, непроглядный мрак, накрывший всю землю, такой густой и безнадежный, что кажется, будто солнце закатилось навеки и небо никогда больше не будет голубым.

И подпоручику Фредерику Глюнтцу из Страсбурга, несмотря на то, что его окружали товарищи, вдруг стало неуютно и страшно. Юноша вообразил, что темнота скрывает нечто невыразимо ужасное, и инстинктивно потянулся к рукояти. Еще никогда в своей жизни он не желал так страстно, чтобы на горизонте забрезжил рассвет.

В деревне и вправду был пожар. На главной площади селения — почти все гусары решили, что это и есть Пьердас-Бланкас — пылал дом, но никто не пытался его потушить. Фузилеры, расположившиеся под колоннадой ратуши, равнодушно глазели на огонь. Пламя пожара освещало затянутых в шинели пехотинцев, безразлично наблюдавших за подъезжавшими гусарами. Некоторые лениво опирались на свои мушкеты. Огонь то и дело выхватывал из тени их лица, в основном — очень молодые, лишь изредка среди солдат можно было увидеть седоусого ветерана.

— Куда ведет эта дорога? — спросил один из гусар.

— А мы почем знаем? — огрызнулся молодой фузилер с мушкетом на плече и фляжкой в руках. — Не вам бы жаловаться, — добавил он со злобной усмешкой. — Господам кавалеристам не приходится топать пешком, как нам.

Площадь, пожар и все селение остались позади. Миновав во мраке очередную оливковую рощу, эскадрон нагнал пехотинцев, свернувших в сторону, чтобы срезать дорогу. На обочине стояли освещенные факелами пушки, артиллеристы отдыхали, лежа на лафетах. Готовые к походу тягловые лошади забили копытами, приветствуя эскадрон.

Горизонт начал робко проясняться. Ежась от холодного воздуха, Фредерик вновь пожалел о том, что не надел жилет. Молодой человек изо всех сил сжал зубы, чтобы никто не услышал, как они стучат. Он достал из седельной сумки шинель и набросил ее на плечи. За пару минут до этого Фредерик начал клевать носом и едва не выпал из седла, но теперь сон как рукой сняло. Порывшись в сумке, он нашел флягу, которую Франшо предусмотрительно наполнил коньяком, и отпил немного. Алкоголь окончательно взбодрил Фредерика, и юноша с наслаждением прикрыл глаза, чувствуя, как его тело наполняется приятным теплом. Спрятав флягу, он нежно похлопал Нуаро по шее. Светало.

Окружавшие Фредерика неясные фигуры становились четче. Впереди уже легко можно было различить силуэты коней и всадников. Чем ярче разгоралась заря, тем более ясные очертания приобретало все вокруг: освещенные первыми лучами человеческие фигуры, спины, перетянутые ремнями, богато расшитые доломаны, алые кивера, колыхавшиеся в такт скачке, отороченные мехом седла из узорчатой кожи, гладкие эфесы сабель, золоченые аксельбанты, поношенные мундиры цвета индиго. Бесформенная черная толпа снова превратилась в кавалерийский эскадрон, во главе которого парил имперский орел.

II

Заря

Ночной мрак полностью рассеялся. В тусклом утреннем свете кривые, узловатые стволы олив казались сероватыми. Глядя перед собой, Фредерик видел, как по уходящим вдаль, сухим и бурым полям Андалусии, ощетинившись штыками и волоча за собой пушки, шли бесконечные полки, шли на битву.

III

Утро

Обрамленное чернильными тучами пепельное небо нависало над землей, словно налитое свинцом. Ленивый дождик покрывал окрестные поля серой вуалью.

Эскадрон остановился на склоне холма, у поросших колючим кустарником развалин какого-то поместья. Закутанные в плащи гусары спешились, чтобы размять ноги и дать отдых лошадям, а майор Берре послал вестового на поиски полковника Летака. Со склона другой эскадрон, расположившийся на соседнем холме, казался сплошным синим пятном.

К Фредерику подошел Мишель де Бурмон. Молодой человек вел за собой коня, на плечи он накинул зеленый плащ, чтобы защитить от дождя расшитый мундир. Голубые глаза де Бурмона смеялись.

— Все-таки пошел, — горько сказал Фредерик, словно небо умышленно послало дождь, чтобы жестоко над ним подшутить.

Де Бурмон поднял руку ладонью вверх, посмотрел на небо и в недоумении пожал плечами.

— Подумаешь, пара капель! Слегка прибьет пыль под копытами наших лошадок. — Он достал из кармана кисет, вытащил две тагарнины[1], одну взял в зубы, а другую предложил товарищу. — Извини, лучше ничего нет, табак на местных складах сплошь гнилой. Война не способствует торговле с Кубой.

— Меня трудно назвать искушенным курильщиком, — признался Фредерик. — Ты же знаешь, мне не отличить сгнившего табака от лучшего листа из колоний.

Друзья склонились над огнивом, которое де Бурмон тоже извлек из своего кисета.

— Это вопиющее невежество, — сообщил он, с наслаждением затянувшись и выпустив колечки дыма. — Настоящему гусару полагается без труда узнать доброго коня, доброе вино, добрую сигару и красивую женщину.

— В таком порядке?

— Именно в таком. Подобные навыки позволяют отличить офицера легкой кавалерии от

---

1 Дешевый сорт сигар.

жалких пехотинцев, привыкших ходить по земле и сражаться по колено в грязи, словно дикари.

Фредерик бросил взгляд на развалины фермы.

— Кстати, о дикарях... — начал он, указывая на серые стволы олив, — что-то их не видно. Похоже, наше появление их здорово напугало.

— Не надейся. Я чувствую, они где-то здесь, ждут, когда один из нас отстанет от своих, чтобы повесить его на дерево и вспороть живот. Или строятся со своими серпами и мушкетами, чтобы сразу вдруг появиться у нас прямо перед носом. Клянусь гвоздями распятия, я с ума схожу от желания нанизать их на свою саблю!.. Ты уже знаешь про вчерашнее?

Фредерик недоуменно покачал головой:

— Нет, похоже, не знаю.

— Я сам только сейчас узнал, и все никак в себя не приду. Вчера наш патруль заехал на одну ферму, чтобы напиться воды. Хозяева сказали им, что в колодец пересох, но они не поверили и опустили туда ведро. Знаешь, что они вытащили? Кивер пехотинца. Тогда один солдат спустился туда на веревке и нашел тела трех наших; несчастные заночевали на ферме, и им перерезали горло во сне.

— И что было дальше? — спросил Фредерик, тщетно пытаясь унять дрожь.

— Что дальше? Можешь представить, как озверел наш патруль, когда это увидел... В общем, они ворвались в дом и убили всех: хозяина, его жену, сыновей-подростков и девочку, совсем малышку. А потом подожгли ферму и поехали своей дорогой.

— Поделом!

— Я тоже так думаю! Что толку церемониться с этой нечистью, Фредерик? Их нужно убивать, как бешеных собак.

Фредерик не стал спорить. Воспоминания о растерзанном Жуньяке наполняли его сердце ужасом и яростью.

— И все же, — сказал юноша, помолчав немного, — они по-своему защищают свою землю. Ведь мы захватчики.

Де Бурмон прикусил ус в неподдельном гневе:

— Захватчики? Да разве на этой земле есть что защищать?

— Мы свергли их королей...

— Королей? Этих ничтожных Бурбонов, кузена которых во Франции отправили на гильотину? Жирный и тупой король, развратная королева, которая изменяла ему с половиной двора... У них не было прав на престол. Они ни на что не годились.

— Я полагал тебя защитником старой аристократии, Мишель.

Утро

Де Бурмон презрительно усмехнулся:

— Одно дело старая аристократия, и совсем другое — упадок и мракобесие. Сейчас Франция — маяк для всей Европы, у нас рождаются самые лучшие, самые прогрессивные идеи. Мы несем свет, несем новый порядок. Довольно попов и святош, инквизиции и суеверий. Мы вытащим этих дикарей из черного болота, в котором они живут, даже если для этого придется их всех перестрелять.

— Но ведь у короля Карла есть наследник, его сын Фердинанд. — Фредерик был не слишком уверен в собственных аргументах, просто ему не хотелось прекращать интересный разговор. — Испанцы хотят посадить на трон его. Они называют его Любимцем народа, Желанным монархом и еще по-всякому.

Де Бурмон расхохотался:

— Этого? Те, кто видел этого любимца, говорят, он трус и ничтожество, который не даст за народ, начертавший его имя на своих знаменах, и ломаного гроша. Ты не читал в «Мониторе»? Он неплохо устроился по другую сторону Пиренеев и шлет Императору поздравления после каждой нашей победы в Испании.

— Все это так.

— Вот именно.

— Говорят, он и вправду ничтожество.

— Он *и вправду* ничтожество. Монарх, у которого осталась хоть капелька собственного достоинства, не посмел бы так обращаться со своими подданными, которые, конечно, дикари, но все равно уходят в горы, чтобы сражаться за него... Ладно! Оставим это. Европейских монархов теперь коронует Бонапарт, и настоящий король Испании — его брат Жозеф. Его права гарантируют наши сабли и штыки. Что может ополчение дезертиров и неумытых мужиков против тех, кто победил при Йене и Аустерлице!

Фредерик решил поменять тактику:

— Да, но в Байлене Дюпону пришлось сдаться. Помнишь, что вчера сказал Домбровский?

— Не начинай про Байлен, — оборвал его де Бурмон, явно задетый за живое. — Наши проиграли из-за жары и потому, что плохо знали окрестности. Ошиблись в расчетах. А кроме того, в распоряжении Дюпона не было Четвертого гусарского. Черт побери, приятель, похоже, у тебя с утра философский настрой. С чего бы?

Фредерик ответил другу искренней, беззащитной улыбкой:

— Все в порядке. Просто эта война какая-то странная — совсем не такая, как в учебниках. Помнишь, о чем мы говорили ночью? Мечтали о конных атаках, о схватке лицом к лицу, чтобы враг был хорошо известен и построен в шеренги.

— То есть о войне по правилам? — заключил де Бурмон.

— Вот именно. О войне по правилам, когда священники не уходят в горы, прихватив топоры, а старухи не поливают наших солдат кипящим маслом. Когда из колодцев достают воду, а не трупы убитых товарищей.

— Ты хочешь слишком многого, Фредерик.

— Почему?

— Потому что на войне много ненависти. А ненависть не делает человека лучше.

— Об этом я и говорю. Когда война идет по правилам, ты ненавидишь только врагов на поле боя. А здесь все куда сложнее. Нас ненавидят за то, что мы захватчики, и за то, что мы еретики; священники с амвона призывают к неповиновению, крестьяне уходят в горы и жгут урожай, чтобы нам ничего не досталось.

Де Бурмон ободряюще сжал его плечо.

— Не обижайся, Фредерик, но твоя наивность меня порой обескураживает. Война есть война; тут мы ничего не можем поделать.

— Что ж, я, должно быть, и вправду чересчур наивен. Не знаю, может быть, здесь, в Испании, я изменюсь. Но войну я всегда представлял иначе... Меня поражает испанское варварство, эта пещерная гордыня, то, как они спешат выплюнуть свою ненависть нам в лицо, прежде чем отправиться на виселицу и в ад. Помнишь священника из Сесины? Помнишь, какой он был грязный, низкорослый, такой жалкий в своей рваной, запятнанной сутане?.. Но он совсем не боялся, а только ненавидел. Такого человека недостаточно просто убить. Заодно стоило бы уничтожить его душу.

Из-за холма донесся отдаленный пушечный залп. Лошади отозвались беспокойным ржанием. Друзья переглянулись.

— Вот оно! Началось! — воскликнул де Бурмон.

Сердце Фредерика сладко заныло. Канонада звучала как дивная музыка, несмотря на дождь и низкое серое небо. Поспешно отбросив горящую сигару, юноша крепко сжал плечо де Бурмона.

— Я думал, этот миг никогда не наступит.

Мишель закивал, подкручивая ус. Его глаза сверкали, как у бойцового петуха перед схваткой.

— Мне тоже так казалось, — подтвердил он, крепко сжав плечо своего друга.

Поглядывая в сторону, откуда доносилась канонада, гусары рассуждали о том, что происходит на поле боя, и строили догадки, одна неле-

Утро

пее другой. Костлявый рыжеусый капрал с неколебимой уверенностью твердил, что генерал Дарнан собирается дойти до Лимаса, хотя в действительности тот планировал лишь перекрыть в двух местах дорогу на Кордову. Тактические выкладки рыжего не находили отклика у товарищей, и гусары, ссылаясь на анонимные, но полностью достоверные источники, доказывали, что продвижение в сторону Лимаса — лишь начало сложного маневра, призванного отрезать отступающим испанцам путь на Монтилью. Дискуссия становилась все более жаркой, а тут еще один гусар подлил масла в огонь, решительно заявив, что целью генерала является отнюдь не Лимас, а, совершенно определенно, Хаэн.

Из-за холма галопом пронесся вестовой Берре. Второй эскадрон, издалека казавшийся сплошной темной массой, уже начал двигаться вниз по склону, постепенно теряясь из виду.

Трубач сыграл сигнал «по коням». Друзья поспешно сбросили плащи и убрали их в седельные сумки. Де Бурмон подмигнул Фредерику, сунул ногу в стремя и вскочил на своего Ростана. Прежде чем последовать его примеру, молодой человек поправил подбородный ремень кольбака. Дождь успел промочить его доломан, и влажная рубашка неприятно липла к спине. Хорошо хоть стало не так жарко.

Снова пропел горн, и эскадрон тронулся рысью. Конские ноги взрывали мокрую землю, и в ехавших следом всадников летели грязные комья. И все же грязь была лучше пыли, которая вздымается из-под копыт жарким солнечным днем, забивается в горло и мешает смотреть. Юноша бросил взгляд на висевшие по сторонам седла кобуры, в каждой из которых, старательно обернутый платком, чтобы защитить от влаги, ждал своего часа великолепный пистолет модели 1813 года. Все было в полном порядке. Мысль о предстоящей схватке пьянила Фредерика, но ни страха, ни тревоги он не чувствовал. Он наслаждался скачкой, с нетерпением ожидая начала славной битвы.

Спустившись с холма, гусары въехали в мелколесье, где среди стволов мелькали синие с белыми портупеями мундиры пехотинцев. Пушечный гром остался далеко позади, где-то у самого горизонта. Оглядываясь на ряды гусар, Фредерик трепетал от восторга. До чего же здорово скакать в величественном строю, быть частью отлаженной военной машины, упорно стремящейся вперед, неся в ножнах сотню нетерпеливых сабель.

Продвигаясь среди холмов, гусары достигли крошечного селения, потонувшего в клубах дыма. Майор Берре приказал эскадрону остано-

Утро

виться и, подозвав Домбровского, погрузился в изучение карты. Фредерик рассеянно наблюдал за ними, прислушиваясь к дальней канонаде, разбавленной треском ружейных выстрелов. Внезапно ротмистр повернулся к нему и знаком велел приблизиться.

Берре не спускал глаз с горящего селения. С Фредериком заговорил ротмистр.

— Глюнтц, возьмите семь человек и отправляйтесь в деревню. Осмотритесь.

Фредерик почувствовал, что заливается краской. Впервые в жизни он получил собственное боевое задание.

— Слушаюсь, — он коротко поклонился, а вслед за ним склонил голову и Нуаро.

Домбровский не улыбнулся.

— Не усложняйте себе жизнь, Глюнтц, — посоветовал он, хмуря лоб. — Взгляните на деревню и живо назад. Для славных подвигов еще слишком рано. Вы меня поняли?

— Так точно, господин ротмистр!

— От вас не требуется чудес героизма. Отправляйтесь туда, осмотритесь и возвращайтесь к нам. В деревне должна быть наша пехота.

— Я вас понял, господин ротмистр.

— Поторопитесь. И берегитесь партизан.

Юноша перевел взгляд на майора, но Берре стоял к ним спиной, напряженно разглядывая деревню. Фредерик поклонился, демонстрируя безупречную выправку, и повернулся к стоявшим поблизости гусарам из своего отделения. Поколебавшись, Фредерик выбрал тех, кто показался ему надежнее.

— Вы семеро. За мной.

Маленький отряд двинулся галопом. С неба сыпал редкий дождь, но землю еще не развезло окончательно. Фредерик пришпоривал коня и натягивал повод. Вода стекала по его лицу и затылку, с медвежьей оторочки кольбака падали тяжелые капли. Эскадрон остался далеко позади, но юноша был уверен, что Мишель де Бурмон смотрит ему вслед.

Окутавший деревню дым застыл в сером утреннем воздухе и превратился в полупрозрачную завесу между небом и землей. Влажную почву испещряли следы конских копыт и телег. Пахло горелым деревом.

К селению пришлось ехать по узкой дороге, по сторонам которой росли оливы. Что ждет их в конце пути, разведчики не знали. Лежащая впереди незнакомая тропа, которая, возможно, вела в логово врага, тревожила Фредерика. Не переставая пришпоривать Нуаро и натягивать узду одной рукой, другой он расстегнул кобуру

Утро

на правом боку коня и развернул пистолет, чтобы его легко было выхватить в любую минуту.

На обочине дороги валялась перевернутая телега, а под ней мертвый человек. Проезжая мимо, Фредерик скользнул по нему взглядом. Труп лежал лицом вниз, раскинув руки, его одежда была изодрана. Ноги мертвеца были неестественно вывернуты; кто-то забрал его сапоги. Судя по обрывкам мундира, это был испанец. Чуть поодаль лежали еще два трупа, а рядом — убитая лошадь. Фредерик думал только о своем задании и не сразу понял, что впервые в жизни видит павших в бою солдат.

Половина деревни пылала, несмотря на дождь. От обугленных балок рассыпа́лись мириады искр. Фредерик пустил коня шагом и вынул из ножен саблю. Гусары, державшие наготове карабины, внимательно оглядывались по сторонам. Главная улица оказалась совершенно безлюдной. Лишь издалека доносились глухие выстрелы.

— Вы бы поосторожнее, господин подпоручик, — окликнул Фредерика гусар с косматыми черными баками. — Лучше подъехать ближе к домам, тогда в нас будет труднее попасть.

Фредерик счел совет вполне разумным, однако ничего не ответил и направил Нуаро к середине улицы. Гусар ехал за ним, ворча сквозь зубы.

Остальные пятеро старались держаться у стен, ослабив поводья и держа наготове карабины.

Мокрый до последней шерстинки пес перебежал дорогу под самыми копытами Нуаро и скрылся за углом. На другой стороне улицы, привалившись к стене, сидел еще один мертвец с закрытыми глазами и разинутым ртом. На этот раз убитый был во французском мундире. Синяя портупея у него на груди была заляпана грязью, рядом валялся расстегнутый ранец, его содержимое рассыпалось по вязкой земле. Фредерик и сам не знал, почему, но это зрелище потрясло его сильнее, чем жуткая маска, в которую превратилось лицо мертвого. Каким же низким подлецом надо быть, чтобы снимать с мертвых сапоги и потрошить их ранцы.

Дождь кончился, и в лужах отражалось свинцовое небо. Новый выстрел прозвучал так близко, что Фредерик вздрогнул и с трудом удержался в седле. Косматый гусар выругался в голос. Разве это дело — торчать посреди улицы, облегчая жизнь испанцам!

На этот раз Фредерик согласился. Судя по всему, настоящая война имела мало общего со старыми гравюрами и уж точно совсем не походила на яркие иллюстрации в книжках о рыцарях. Картина битвы была написана в серых тонах и состояла из отнюдь не героических деталей. Фредерик не знал, побеждает его армия или проигрывает. Положа руку на сердце, он даже не мог сказать, что происходит на его глазах: великое сражение или бессмысленная стычка. Раздосадованному юноше показалось, что судьба хочет сыграть с ним злую шутку, отобрав вожделенную славу и подарив ее кому-то куда менее достойному.

На краю селения гусары обнаружили маленький отряд пехотинцев, которые обстреливали опушку леса из-за стены амбара. Лица фузилеров были покрыты пылью; каждый держал в зубах патрон и время от времени подносил руку ко рту, чтобы молниеносно перезарядить дымящийся мушкет. Их было человек двадцать, и большинство с трудом держалось на ногах. Они непрерывно стреляли, перезаряжали и снова стреляли с тупым ожесточением. Только один фузилер не стрелял: он сидел на земле, уронив на руки перевязанную окровавленной тряпкой голову. Время от времени раненый глухо стонал, но никто не обращал на него внимания. Мушкет фузилера прислонили к ограде в двух шагах от него. Пули то и дело свистели над головами солдат и громким треском вонзались в глинобитную стену.

Седоусый сержант с красными от усталости глазами заметил гусар и торопливо направился к ним, нагибаясь, когда очередная пуля пролетала слишком близко. Ноги у сержанта были короткие и крепкие, на старые белые штаны налипла дорожная грязь.

Разглядев у Фредерика галуны подпоручика, сержант выпрямился. Он ловко отсалютовал офицеру и поприветствовал гусар.

— Мы вас не ждали, — сообщил сержант, не скрывая облегчения. — Иметь под рукой кавалерию никогда не помешает. Только вы бы спешились, господин подпоручик, так будет гораздо безопаснее. Нас обстреливают из леса.

Фредерик пропустил совет мимо ушей. Он вложил саблю в ножны и потрепал гриву Нуаро, с деланным равнодушием оглядывая место схватки.

— И какова обстановка?

Сержант в недоумении потер мочку уха, покосился на перелесок, потом перевел взгляд на молодого офицера и его подчиненных. Кажется, пехотинца немало забавлял вид роскошных гусарских мундиров, промокших до последней нитки, прямо как его собственный.

— Мы из Семьдесят восьмого линейного, — сообщил сержант, хотя номер полка был выгравирован на его кивере. — Заняли деревню, едва рассвело, и выперли испанцев. Часть засела в лесу и теперь стреляет.

— Какие силы занимают деревню?

— Одна рота, вторая. Мы рассредоточены.

— Кто вами командует?

— Капитан Одюс. Кажется, он был у колокольни. Он командует ротой. Остальной батальон в пол-лье к северу, продвигается к месту под названием Фуэнте-Альсина. Это все, что я могу вам сказать. Если хотите знать больше, вам лучше разыскать капитана.

— В этом нет необходимости.

Со стороны леса один за другим прогремели три выстрела, и последняя пуля пролетела совсем близко. Какой-то пехотинец вскрикнул и уронил ружье. Шатаясь из стороны в сторону, он с изумлением смотрел на багровое пятно, расползавшееся по мундиру.

Сержант в один миг забыл о существовании гусар.

— В укрытие, дурачье! — заорал он. — Это мы должны их перебить, а не они нас!.. Какого дьявола дожидается этот Дюран?

Один из гусар приподнялся в стременах и выстрелил. И тут же полез за второй пулей, насвистывая сквозь зубы. Тут на окраине деревни появилась шеренга фузилеров и двинулась к перелеску, поминутно останавливаясь, чтобы зарядить мушкеты. Сержант выхватил саблю и бегом бросился к своему отряду.

— Вперед, ребята! Это Дюран! Поднимайтесь! Им конец!

Солдаты вскакивали на ноги, хватали штыки. Сержант перепрыгнул через ограду, и его подчиненные с криками последовали за ним. На месте остались лишь фузилер с перевязанной головой и раненый, который стоял на коленях, опираясь на изгородь, и тупо смотрел, как кровь льется по ногам и капает на землю, будто отказывался верить, что тяжелые бордовые капли действительно вытекают из его собственного живота.

Фредерик проводил глазами синие мундиры бегущих к лесу пехотинцев. Синий строй тяжело, но неуклонно двигался вперед, оставляя за собой трупы в синих мундирах.

Гусары не двигались с места еще некоторое время. Но едва пехотинцы достигли перелеска, они построились и пустили коней галопом, торопясь вернуться назад.

Вот как это на самом деле. Грязь и кровь, удивление, застывшее в мертвых глазах, ограбленные трупы и враги, убивающие из-за угла. Война бесславная и грязная. Солдаты с забинтованными головами нисколько не походили на героев, а вид выпавших из страшной раны внутренностей не вызывал ничего, кроме отвращения и ужаса.

Отряд перешел на рысь. Гусары ехали молча, обсуждать увиденное в селении никто не торопился. В голове Фредерика рождались все новые и новые вопросы без ответа; он хотел поскорее остаться наедине с собой, чтобы как следует все обдумать.

По дороге им попались еще три трупа, и на этот раз Фредерик решился заглянуть мертвецу в глаза. Раньше он и представить себе не мог, как мало остается в покойнике от живого человека. Думая о смерти, юноша привык представлять себя с закрытыми глазами и безмятежной улыбкой в уголках губ. Верный друг сложит его руки на груди, товарищи, боевые товарищи, обронив скупые слезы, на плечах отнесут павшего к последнему пристанищу, а луч солнца, появившись на миг из-за туч, озарит благородное лицо храброго воина, покрытое пылью и кровью.

Лишь теперь Фредерик увидел, какой бывает смерть в бою на самом деле. Глядя на валявшихся в грязи мертвецов, Фредерик чувствовал такое одиночество, такую мучительную тоску, что в горле сами собой зародились рыдания. Юноша скорбел о погибших солдатах всем сердцем и знал, что подобная участь, быть может, уготована ему самому.

Возвращение в эскадрон развеяло мрачные мысли Фредерика. Ему предстояло вернуться к товарищам, вновь стать частью мощного войска под командованием искусных полководцев, повидавших немало трупов на обочинах разных дорог. Это было как путешествие из царства мертвых в мир живых и сильных людей, где тоскливое одиночество сменяется нерассуждающей и спасительной общей верой в победу.

Вернувшись в полк, Фредерик доложил Берре и Домбровскому о положении в деревне, перечислил номера занявших ее частей и лаконично описал схватку на краю перелеска. О мертвецах на дороге и раненых в селении он говорить не стал. При виде стройных рядов гусар мрачные картины показались юноше сном, который вот-вот забудется.

Заняв свое место в строю, Фредерик сердечно приветствовал де Бурмона, который ответил ему коротким взмахом руки и дружеской улыбкой. Лохматый гусар уже излагал товарищам подробности вылазки в деревню.

— Вы бы видели нашего подпоручика... — увлеченно рассказывал он, не догадываясь, что герой его повествования все слышит. — Выехал на середину улицы, такой весь прямой, будто оглоблю проглотил, а когда я намекнул, что это опасно, так глянул, словно хотел на месте меня испепелить. Нет, все-таки у нашего эльзасца то, что нужно, на месте... Не так уж он плох для новичка!

Вспыхнув от смущения и гордости, Фредерик поспешно отвернулся и принялся разглядывать поросшие оливами и миндалем просторы. Солнце вступило с тучами в отчаянную борьбу, и небо на горизонте слегка просветлело.

Пропел горн, и эскадрон тронулся рысью по непаханому полю, оставляя деревню сзади, по левую руку. Примерно через пол-лье стали попадаться другие части. Отряд егерей маршировал прямо по жнивью. Артиллерийские орудия с грохотом пересекали кукурузное поле. Усталые драгуны ехали шагом, ослабив поводья и приторочив ружья к седлам. Из-за холмов беспрерывно слышались ружейные выстрелы, и время от времени доносился гром пушек.

Гусары остановились напоить коней у заболоченной речушки, на поросшем колючими кустами низком берегу. Майор Берре и ротмистр Домбровский вместе с поручиком Маньи и старшим трубачом поднялись на холм, где решили устроить командный пункт. Туда же направились старшие офицеры другого эскадрона, вставшего неподалеку. Полковник Летак, если только он не присоединился к штабу Дарнана, скорее всего, находился там же.

Фредерик спешился и пустил Нуаро погулять по берегу речушки. Дождя не было, скачка немного высушила мундиры гусар, и теперь они разминали ноги, обмениваясь слухами о ходе битвы, которая разворачивалась за холмами. Фредерик вынул из кармана часы: было самое начало одиннадцатого.

Подошли де Бурмон и поручик Филиппо, на ходу горячо обсуждая какую-то новость. Черные как смоль усы и смуглая, почти оливковая кожа делали Филиппо похожим на цыгана. Поручик был среднего роста, пониже Фредерика и значительно ниже, чем де Бурмон. Он был чванлив, франтоват, слыл беззаветным храбрецом и бранился только по-итальянски, на языке своего детства, прошедшего на южных склонах Альп. Филиппо сражался при Эйлау и в парке Монтелеон в Мадриде, пять раз дрался в сабельных дуэлях и заколол всех своих противников. Причиной поединков неизменно становились женщины — большая слабость поручика, которая, как поговаривали злые языки, рано или поздно должна была стать его погибелью. Филиппо вечно был на мели, одалживался решительно у всех на свете и, чтобы раздать долги, делал новые.

Поручик с важным видом протянул Фредерику руку.

Утро

— Мои поздравления, Глюнтц. Я слышал, вы прекрасно справились с первым заданием.

Де Бурмон, гордый за своего друга, с улыбкой закивал. Фредерик пожал плечами; в полку не принято было хвалиться своим геройством, и придавать значение рутинной вылазке было бы вопиющим моветоном.

— Было бы с чем справляться, — сказал юноша с подобающей скромностью. — Наши выкурили из деревни испанцев, обычное дело.

Филиппо обеими руками опирался на саблю. Ему чертовски нравилось изображать ветерана.

— У вас еще будет возможность пощекотать нервы, — сказал поручик с таинственным видом человека, который знает больше, чем говорит. — Все к этому идет.

Заинтригованные подпоручики уставились на Филиппо. Тот приосанился, довольный произведенным эффектом.

— Так и есть, друзья мои, — продолжал он. — Во время одного из редких приступов болтливости Домбровский намекнул, что Дарнан не отказался отрезать испанцам дорогу в горы. Все дело портит Ферре.

— А что такое с Ферре? — спросил де Бурмон. — Насколько я знаю, он должен укреплять наши фланги.

Филиппо пренебрежительно махнул рукой, явно подвергая сомнению военный гений полковника Ферре.

— В том-то и дело, — заключил он торжествующе. — Ферре уже давно должен быть здесь, но он до сих пор не явился. Так что разрушать оборону противника по ту сторону холма, судя по всему, придется нам.

— Это Домбровский сказал? — перебил Фредерик, пораженный осведомленностью Филиппо. В мыслях он уже скакал навстречу врагу.

— Ну, насчет нашего участия — это мое личное предположение. Хотя, по-моему, оно напрашивается само. Мы — единственная кавалерийская часть в этой местности, и к тому же единственный полк, который до сих пор не вступил в бой. Остальные давно дерутся, только Восьмой легкий в резерве.

— Мы видели драгун, — сообщил де Бурмон.

— Да, знаю. Я слышал, их используют для разведки. А наши четыре эскадрона здесь.

Фредерик не разделял уверенности Филиппо.

— Я вижу только два, — заметил он, окинув взглядом берег. — Наш и еще один. А коль скоро один плюс один будет два, получается, что не хватает половины полка.

Филиппо недовольно поморщился:

Утро

— Меня порядком утомляет ваша немецкая расчетливость, Глюнтц, — сказал он раздраженно. — Вы еще молоды, вам не хватает чутья. Доверьтесь ветерану.

— Вполне разумно, — заявил де Бурмон, и Фредерик поспешил согласиться.

— Хотел бы я знать, на чьей стороне преимущество, — проговорил он, глядя в даль, в ту сторону, где шло сражение.

— Этого пока никто не знает, — заверил его Филиппо. — Похоже, наши фланги держатся с трудом. Мы потеряли больше артиллерии и Восьмому легкому давно пора бы приняться за дело. Да и нам пора.

— Мне это кажется отнюдь не лишним, — заметил де Бурмон.

Филиппо с беспечным видом постукивал кончиками пальцев по эфесу своей сабли.

— А мне и подавно. Уж они побегут, словно грешники от чертей, едва мы сунемся за гряду, помяните мои слова! Cazzo di Dio[1]!

Фредерик вытащил из седельной сумки плащ и расстелил его на земле, под оливой. Он снял кольбак, достал флягу и галеты и уселся под деревом.

Остальные последовали его примеру.

1   *Зд.:* Хрен божий! (*ит.*)

— У кого-нибудь есть коньяк? — поинтересовался Филиппо. — Впрочем, от глоточка водки я бы тоже не отказался.

Де Бурмон молча протянул ему фляжку. У гусар было время запастись провизией перед выступлением, но поручик, как видно, давно опустошил собственные запасы. Сделав огромный глоток, он фыркнул от удовольствия.

— Живительная влага, друзья мои... И мертвых поднимет.

— Не тех, кого я видел сегодня, — пробормотал Фредерик и сам удивился своей мрачной шутке. Товарищи поглядели на него с изумлением.

— Ты о деревне? — спросил де Бурмон.

Фредерик поморщился.

— Да, их было три или четыре. Испанцы в основном. С них сняли сапоги.

— Если речь об испанцах, ничего не имею против, — заявил Филиппо. — И вообще, зачем покойнику сапоги?

— Незачем, — мрачно проговорил де Бурмон.

— Вот именно: незачем. Они послужат живым.

— Я ни за что не стал бы обчищать труп, — проговорил Фредерик, яростно морща лоб.

— Отчего же? Мертвым все равно.

— Это бесчестно.

— Бесчестно? — оскалился Филиппо. — Это война, приятель. Само собой, таким вещам в военной школе не учат. Но вы быстро их усвоите, уж будьте спокойны... Вообразите, Глюнтц, вы бредете по полю боя, денек выдался жаркий, у вас с утра во рту маковой росинки не было, а в двух шагах валяется труп солдата с полной котомкой. Или врожденная щепетильность не позволит вам устроить маленький банкет?

— Я лучше умру с голода, — не колеблясь ни минуты, ответил Фредерик.

Филиппо сокрушенно покачал головой:

— Вам просто никогда не приходилось голодать, дружище... Ну а вы, де Бурмон, пополните запасы, окажись вы на месте Глюнтца?

Де Бурмон в раздумье подергал ус.

— Скорее всего, нет, — ответил он наконец. — Грабить мертвых низко.

Филиппо с досадой прищелкнул языком:

— С вами каши не сваришь. Черт бы побрал эти пылкие благородные сердца; они думают, жизнь сродни рыцарскому роману. Ничего, скоро вы перемените мнение. Не исключено, что прямо сегодня. Грабить мертвых, говорите... Ха! Да ничего подобного. Разве вы не слыхали об этих в высшей степени достойных людях, которые сопровождают любую армию в любой кампании, а когда на поле боя спускается ночь, выходят на охоту, словно звери, и обирают трупы до нитки? Паршивые стервятники, которые добивают раненых, чтобы забрать их добро, отрезают пальцы, чтобы снять кольца, ломают челюсти, чтобы разжиться золотыми зубами... По сравнению с тем, что творят эти выродки, взять у мертвого кусок хлеба или сапоги — просто невинная шалость... До чего же, однако, хорош коньяк, — объявил он, возвращая де Бурмону флягу, и неделикатно рыгнул. — Он меня просто спас, Corpo di Cristo[1]. Мы ведь порядком вымокли этим утром. Снялись чуть свет, скакали невесть куда, и даже плащ накинуть было некогда. Конечно, Берре и красавчик Домбровский все знали с самого начала, но нам сообщить не удосужились. В результате две трети эскадрона беспрерывно чихают. Слава богу, хоть сейчас не льет.

Мимо рысью проскакал чей-то ординарец. Он спешил на командный пункт, к Берре и остальным офицерам. В кавалерии ординарцы нередко играли роль вестовых; во время боя они носились под огнем, передавая донесения. Заметив всадника, Филиппо окликнул его:

— Есть новости, солдат?

Молодой светловолосый гусар придержал коня.

1   Тело Христово (*ит.*).

Утро

— Четвертый эскадрон вступил в бой с партизанами в лье отсюда. — В голосе солдата звенела гордость; он сам был из Четвертого. — Сейчас они преследуют врага. Отличная работа.

— И никакой пощады, — с циничной усмешкой пробормотал де Бурмон, глядя вслед ординарцу.

Филиппо кивнул с довольным видом:

— Разумеется, никакой пощады. В этом и состоит главное преимущество войны с партизанами; не нужно возиться с пленными. Пара сабельных ударов — вжик-вжик! — и дело сделано.

Фредерику и де Бурмону пришлось согласиться. Филиппо рассмеялся.

— Как ни удивительно, — сообщил он, — партизанская война с уходом в горы и мелкими вылазками — любимое занятие южных народов.

— Правда? — Де Бурмон придвинулся к поручику, явно заинтересованный.

— Но это же очевидно, друзья мои! — Филиппо никогда не упускал возможности напомнить о своем итальянском происхождении. — Партизан должен быть находчивым, решительным... Ему совершенно противопоказана дисциплина. Вы можете представить себе английского партизана? Или поляка, вроде ротмистра Домбровского?.. Немыслимо! Нет, господа, для того чтобы стать партизаном, нужна густая кровь. Горячая.

— Совсем как у вас, дружище, — иронически заметил де Бурмон.

— Совершенно верно; как у меня. Откровенно говоря, наши дикари мне даже немного симпатичны. Поверьте, мне вправду жаль их убивать, порой они напоминают моего отца. Старик был южанином до мозга костей.

— Однако вы убиваете французов куда чаще, чем испанцев, Филиппо. На ваших знаменитых дуэлях...

— Я убиваю тех, кто стоит у меня на пути. — В голосе итальянца послышалось нечто зловещее.

Фредерик потрепал круп Нуаро, и конь ответил ему благодарным ржанием. В мутной речушке отражались тяжелые облака, но небо все же немного прояснилось, в серых тучах появились голубые прорехи. Тонкий солнечный луч скользил по вершинам ближних холмов. Несмотря на войну, а возможно, благодаря ей, окрестности были удивительно, нестерпимо красивы.

Фредерик перевел взгляд на коня де Бурмона, который мирно пасся на берегу речушки неподалеку от Нуаро. Это было на редкость красивое животное, серое в яблоках, с волнистой гривой. Хозяин выбрал для него роскошное

седло, отороченное шкурой леопарда; венгер-
ское, как почти вся гусарская амуниция: седла,
сапоги, мундиры... Само слово «гусар» происходило из венгерского языка. Фредерик где-то
слышал, что оно возникло из двух корней: «гус»,
что означает сотня, и «ар» — оброк. В далеком
прошлом каждый венгерский помещик в случае
войны был обязан предоставить сеньору одного из ста своих людей, на коне и в полном во-
оружении. Так появилась легендарная легкая
кавалерия, ставшая неотъемлемой частью всех
европейских армий.

Филиппо с самым невинным видом поинтересовался, не осталось ли у кого-нибудь сигар, а
то его кисет в седельной сумке, седло на лошади, а она забралась на середину реки. Де Бурмон
расстегнул несколько пуговиц на своем доломане и достал три тагарнины. Друзья молча за-
курили и долго следили, запрокинув головы, за
игрой облаков и солнечных лучей.

— Я все спрашиваю себя, — нарушил молчание Филиппо, — когда мы сможем вернуться в
Кордову.

Фредерик удивленно взглянул на него.

— Вам нравится Кордова? По-моему, там жарко и грязно.

— Женщины на редкость хороши, — мечта-
тельно ответил Филиппо. — Я тут познакомился

с одной красоткой: волосы черные, как вороно-
во крыло, а формы свели бы с ума и святошу
Домбровского. — По всей видимости, польский
ротмистр не пользовался расположением итальянца. — Малышку зовут Лола, и одного ее взгляда
хватит, чтобы выбить из седла самого, эхем, полковника Летака.

— Лола значит Долорес, не так ли? — спросил де Бурмон. — Это сокращение, что-то вроде
домашнего имени.

Филиппо шумно вздохнул:

— Долорес... Лола... Какая разница? Ей подой-
дет любое имя.

— А мне нравится, — решил Фредерик, несколько раз повторив имя вслух: — Лола. Прекрасно звучит, не правда ли? В нем есть что-то
первобытное, дикое. Что-то в высшей степени
испанское. Она красива?

Филиппо издал сладкий стон:

— Я же говорю. Настоящая красавица! Вы,
должно быть, и не подозреваете, что именно
она — невольно, разумеется, — стала причиной...

— Вашей последней дуэли, — закончил за
него де Бурмон.

— А, так вы знаете?

— Эту историю весь полк знает, — равнодушно проронил Мишель. — Вы ее рассказывали
уже раз двадцать, дружище.

— Ну и что? — огрызнулся Филиппо. — Хоть сто раз, история от этого не изменится, и Лола останется Лолой.

— Интересно, с кем она сейчас, — задумчиво произнес де Бурмон, подмигивая Фредерику.

Пальцы Фредерика снова забарабанили по эфесу сабли.

— Уж точно не с тем кретином из Одиннадцатого линейного, который имел отвратительную привычку кружить около ее дома по ночам... В один прекрасный день мне это надоело, и я предложил негодяю обсудить наши дела в каком-нибудь тихом местечке, а он ответил, что во французской армии дуэли запрещены. Это он мне, поручику Филиппо! Но я не растерялся, проводил его до квартиры и закатил у дверей такой скандал, что собственные товарищи велели ему драться и не позорить имя полка.

— Я слышал, это был великолепный удар, — заметил де Бурмон.

— Четыре великолепных удара. Франтик свалился как подкошенный.

— А мне рассказывали только об одном. И говорили, что он остался на ногах.

— Вас обманули.

— Что ж, вам виднее...

Друзья помолчали, прислушиваясь к далекой канонаде. Фредерик подумал, что пехоте, должно быть, приходится нелегко.

— А я однажды убил женщину, — произнес де Бурмон, понизив голос, будто не решился громко признаться в таком преступлении. Друзья уставились на него, не в силах скрыть изумление и ужас.

— Ты? — недоверчиво переспросил Фредерик. — Ты, верно, шутишь, Мишель!

Де Бурмон покачал головой.

— Я правду говорю. — Он прикрыл глаза, словно воспоминания причиняли ему боль. — Это было в Мадриде, второго мая, на узкой улочке между Пуэрта-дель-Соль и Паласио-Реаль. Филиппо, вы должны помнить тот день, вы ведь там были...

— Еще бы не помнить! — горячо поддержал поручик. — В тот день мне двадцать раз могли продырявить шкуру!

— Мадридцы взбунтовались, — рассказывал де Бурмон, — стали бросаться на нас со всем, что попадется под руку: пистолетами, ружьями, такими длинными испанскими ножами... По всему городу творился кромешный ад. В нас стреляли прямо из окон, кидались черепицей, цветочными горшками, даже стульями. Я как раз направлялся с депешей к герцогу де Бергу, и оказался в самом пекле. Какие-то молодчики стали швырять в меня камнями и чуть не выбили из седла. Впрочем, я без особого труда их ра-

Утро

зогнал и попытался проскочить в обход, к Пласа-Майор, и тут меня окружила целая толпа. Человек двадцать, мужчины и женщины, они тащили за собой растерзанный труп, и его кровь оставляла на земле полосы. И все они набросились на меня, как злобные фурии, с ножами и палками. Женщины были даже страшнее мужчин, они вопили, словно гарпии, хватали меня за стремена и прямо за ноги, все пытались с лошади стащить...

Фредерик не моргая смотрел на своего друга. Де Бурмон говорил очень медленно, монотонно, постепенно продираясь сквозь собственные воспоминания.

— Я выхватил саблю, — продолжал он, — и тут кто-то ударил меня ножом в бедро. Ростан поднялся на дыбы, едва меня не сбросил. Что скрывать, я здорово перепугался. Одно дело встретиться с вражеской армией, и совсем другое — с необузданной, безумной толпой... Я пришпоривал коня что было сил, все пытался вырваться, саблей размахивал направо и налево. И вот какая-то женщина — ее лица я толком не рассмотрел, помню только, что она была в черной шали и громче всех кричала, — схватила мою лошадь за узду так, словно от моей смерти зависела ее жизнь. Я и сам обезумел от этих криков и от боли, совсем потерял голову. Лошадь уже почти вынесла меня из толпы, но эта женщина продолжала виснуть на ней, не пускала... Тогда я вонзил саблю ей в горло, она упала прямо под ноги Ростану, и кровь полилась у нее из носа, рта и ушей.

Фредерик и Филиппо ждали продолжения. Но история де Бурмона закончилась. Мишель молчал, отрешенно глядя на дымок своей сигары.

— Быть может, ее звали Лола, — сказал он наконец.

И горько, криво усмехнулся.

IV
Схватка

Прискакавший из-за холмов одинокий всадник направился на командный пункт. Фредерик проводил его взглядом.

— Это вестовой полковника Летака, — предположил Филиппо, поднявшийся на ноги, чтобы лучше видеть. — Готов поспорить, что через пару минут мы будем в седлах.

— Давно пора, — с надеждой заключил Фредерик.

— Уж поверьте мне, — заверил Филиппо и засвистел сквозь зубы «До чего же хорош этот луковый суп», мотивчик из модной оперетты, невесть как превратившийся в походный марш.

Де Бурмон брезгливо поморщился:

— Во имя Господа, Филиппо, избавьте меня от водевилей. Выбор песни не делает чести вашему вкусу, да и свистун вы неважный.

Поручик бросил на своего друга обиженный взгляд.

— Прошу прощения, дружище, но это самая бодрая мелодия из тех, что может предложить наш оркестр. К тому же под нее хорошо маршировать.

На де Бурмона эти доводы не подействовали.

— Мелодия вульгарна, — повторил он, презрительно скривившись. — В Версальской музыкальной школе Давида Буля, конечно, научили играть на дудочке, но позабыли привить ему хороший вкус. Луковый суп... Черт! Это же просто нелепо!

— А мне нравится, — протестовал Филиппо. — Хотя вы, надо полагать, предпочитаете старые добрые роялистские марши?

— В них есть свое очарование, — холодно ответил де Бурмон и, посмотрев Филиппо прямо в глаза, заставил его отвести взгляд. Фредерик решил вмешаться.

— Лично я предпочитаю старые добрые республиканские марши, — заявил он.

— Я тоже, — отозвался де Бурмон. — По крайней мере они были рождены не в райке, и исполняли их не разряженные клоуны из буффонады.

— А вот императору республиканские марши явно не по вкусу, — усмехнулся Филиппо. — Он говорит, что они сверху донизу перепачканы французской кровью, и хочет, чтобы его солдаты маршировали под бравые мелодии, вроде этой. Вот вы ее ругаете, де Бурмон, а между тем это любимый марш Наполеона.

— Я знаю. Наполеон великий воин, но это вовсе не означает, что он обязан разбираться в маршах. В музыкальном образовании нашего императора немало пробелов.

Филиппо задохнулся от ярости:

— Ну знаете, де Бурмон. Иногда вы меня порядком бесите.

— Что ж, я готов дать вам сатисфакцию в удобное для вас время, — невозмутимо ответил де Бурмон. — Я к вашим услугам.

— Cazzo di Dio!

Фредерик почувствовал, что ему снова пора вмешаться.

— Прошу вас, господа, — произнес он примирительно. — Давайте побережем свой гнев для испанцев.

Красный от бешенства Филиппо хотел было накинуться на Фредерика, но, заметив, что Мишель смеется, сам от души расхохотался. Его гнев моментально рассеялся.

— Sporca Madonna[1], Бурмон, однажды мы с вами скрестим сабли. До чего же вам нравится меня злить, дружище.

1 Так-перетак Пресвятую Богородицу! (*ит.*)

— Мы с вами скрестим сабли? И сколько же вас будет?

— Cazzo di Dio!

— Прошу вас, господа! — взмолился Фредерик. — У нас остался коньяк?

Де Бурмон открыл фляжку, и гусары молча выпили. Со стороны холма к ним приближались поручик Жерар и подпоручик Лаффон.

— Вестового видели? — спросил рыжий Лаффон, известный в эскадроне сквернослов и дуэлянт, но при этом великолепный наездник, как никто владевший саблей.

— Да, — кивнул Фредерик. — Наверное, мы скоро понадобимся.

— Похоже, главные события разворачиваются в центре нашей линии, — сказал Жерар, коренастый и кривоногий ветеран. — Там сейчас жарче всего.

Гусары поделились слухами и собственными догадками. Сошлись на том, что никто понятия не имеет, что же творится на самом деле. Другие офицеры и солдаты разбрелись по берегу речушки и негромко переговаривались, но больше молчали, напряженно прислушиваясь к шуму битвы. Солнце так и не сумело совладать с дождевыми тучами, и на горизонте снова сгущалась лиловая тьма.

С холма почти бегом спустился ротмистр

Схватка

Домбровский. По эскадрону пробежал тихий вздох надежды и предвкушения, офицеры поспешили к своим лошадям. Фредерик и де Бурмон подхватили расстеленные на земле плащи. Филиппо, чтобы догнать коня, пришлось зачерпнуть сапогами воду.

Домбровский на ходу сделал знак трубачу, чтобы тот сыграл построение. Гусары становились в шеренги, держа коней в поводу. Фредерик торопливо надел кольбак и вытянулся в струнку, что есть сил сжимая левой рукой эфес своей сабли и горячо молясь про себя, чтобы на этот раз их отправили в бой. Рядом стоял сдержанный, сосредоточенный де Бурмон. Про себя он молился о том же.

Прозвучала команда «по коням», и сто восемь гусар, как один человек, взлетели в седла. Фанфароны и забияки, что вдалеке от сражений больше всего ценили свободу, молниеносно превращались в монолитный строй. Ощущая близость настоящей битвы, люди становились машиной войны, мощной, подвижной и смертоносной.

— Офицеры, ко мне! — скомандовал Домбровский. И они поспешно окружили своего командира.

— Эскадрону надлежит разделиться, — сообщил Домбровский, окинув офицеров ледяным взглядом. — Первая рота присоединится к батальону Восьмого легкого, чтобы занять позицию напротив деревни, расположенной на другом конце гряды. Восьмому предстоит занять деревню и вытеснить оттуда противника, но в наши задачи это не входит. Как только пехотинцы займут позицию, мы отходим к вот этой расщелине, где встанет вторая рота, готовая выступить, как только понадобится... По всей вероятности, слева, на опушке леса, мы увидим всадников. Не обращайте на них внимания, это Четвертый эскадрон нашего полка готовится встретить отступающего из деревни врага... Вопросы есть? Тогда вперед. Колонной, по отделениям.

Фредерик занял свое место в самом центре строя из четырех рядов, по двенадцать человек в каждом. Едва вступив в серую оливковую рощу, гусары стали пришпоривать коней и вскоре перешли на рысь. Повстречавшийся им поручик Маньи, которому предстояло вести вторую роту к ущелью, громко поприветствовал Домбровского, и ротмистр ответил едва заметным кивком. Обогнув каменную стену, гусары поднялись на холм и подъехали к группе офицеров под орлиным штандартом.

Поблизости не стреляли, канонада доносилась издалека, справа. Там шел жестокий бой, и

Схватка

Фредерик был разочарован и раздосадован тем, что приходится скакать в другую сторону. Вместо битвы скучная операция, рутинное сопровождение пехоты.

Холмы остались наконец позади, и взорам гусар открылось поле битвы. Оно протянулось от леса до отдаленных гор и занимало около пяти лье. Фредерик разглядел на поле несколько деревушек, окутанных желтоватым туманом. Канонада доносилась как раз оттуда, и юноша догадался, что принял за туман дым сражения.

Поближе, примерно в одном лье от гусар, разделенные на батальоны, неподвижно стояли два французских полка, издалека казавшиеся разбросанными по траве синими пятнами. Время от времени над рядами поднимались облачка ружейного дыма; повисев в воздухе несколько мгновений, они теряли очертания, превращались в неровные лоскуты и постепенно рассеивались. Чуть дальше такие же клубы дыма поднимались над испанцами и плыли к горизонту, чтобы слиться с тяжелыми тучами. Тучи и дым окутывали небо, словно плащ, не пропуская солнечных лучей.

Когда гусары присоединились к Восьмому легкому, до полудня оставалось совсем немного. Чтобы привлечь внимание кавалерии, пехотинцы в синих мундирах с белыми портупеями размахивали надетыми на мушкеты киверами. Почти все солдаты были очень молоды, совсем дети, впрочем, как и большинство участников испанской кампании. Взгляд Фредерика скользнул по тяжелым ранцам, зачехленным штыкам, усталым лицам. Полк был разбит по батальонам, как для похода, но строя солдаты не держали, а кое-кто даже сидел на земле. Измученные тяжелым броском пехотинцы не слишком рвались в бой. Офицеры оставались на ногах, посреди своих батальонов, от них не отходили барабанщики и трубачи. Полковник сидел верхом, под увенчанным орлом знаменем.

Домбровский приказал своей роте встать во фланг Восьмому легкому. Батальон Фредерика занял место во главе колоны. Пропели горны, нервной дробью вступили барабаны. Усталые люди поднимались с земли.

Фредерик пустил Нуаро шагом. Дорогу развезло от дождя. Время от времени юноша оборачивался, чтобы посмотреть на егерей, которые шли за ним, утопая в лужах, спотыкаясь о камни, продираясь сквозь низкие колючие кусты. Фредерик читал во взглядах молодых пехотинцев зависть и плохо скрытую злобу. Он попытался поставить себя на место этих солдат, прошагавших пол-Европы в грязи по колено, чтобы жариться теперь под беспощадным испанским солнцем, пехотинцев с каменными от бесконечных маршей подошвами. Гусарский офицер верхом на красавце-коне, затянутый в элегантный мундир блестящего полка, слишком явно и горько контрастировал с тяжкими буднями безвольного и безымянного пушечного мяса, голодного, плохо одетого, привыкшего вздрагивать от грубых окриков неотесанных унтеров. Это им, пехотинцам из Восьмого легкого, предстояло выполнить самую тяжкую, грязную и опасную работу, чтобы блистательные гусары, сделав пару уколов и тройку выпадов, пустились преследовать разбитого другими неприятеля и стяжали всю славу, без остатка. Мир устроен несправедливо, а французская армия и подавно.

Так думал Фредерик о людях, которых ему выпало сопровождать навстречу смерти, увечьям и победе, быть может, хотя победы не воскрешают мертвых и не возвращают здоровья калекам. Еще оставалась слава; впрочем, Фредерик понимал, что между славой, которая ждет всадника в офицерском мундире, и той, что причитается солдатам, идущим по земле с мушкетами на плечах, пролегает пропасть.

Слава. Фредерик вновь и вновь повторял про себя это слово, почти ощущал на языке его вкус.

Звонкое сочетание пяти букв. В нем было что-то величественное, даже мистическое.

Фредерик знал, что люди с незапамятных времен воют друг с другом из-за вполне очевидных и важных для всех вещей: еды, женщин, ненависти, любви, богатства, власти... Из страха перед гневом власть имущих и даже из страха смерти. Отчего же темные и грубые простолюдины, неспособные к возвышенным чувствам, не бегут поголовно с поля боя и не пытаются избежать воинской повинности? Какой абсурдной должна показаться крестьянину, ютившемуся в жалкой лачуге и привыкшему жить впроголодь, необходимость отправляться за тридевять земель, чтобы драться за интересы монарха, до которых ему нет никакого дела, и не только ничего не приобрести, но, быть может, и потерять собственную жизнь.

Фредерик Глюнтц из Страсбурга был совсем другим человеком. Он избрал карьеру военного, подчиняясь высоким, благородным устремлениям. Юноша с детства жаждал славы, искал приключений и подвигов, мечтал о жизни, непохожей на безбурное существование скучного буржуазного мирка. Фредерик пошел в офицеры, как другие идут в священники: сабля заменила ему крест. Как лютеранские пасторы и настоятели католических соборов жаждут небес-

Схватка

ной благодати, так он алкал славы: восхищения товарищей, признания командиров, уважения к себе самому, дивной, бескорыстной возможности жить, драться, страдать и умереть во имя идеи. Идеи с большой буквы. Именно это, по мнению Фредерика, отличало человека, привыкшего руководствоваться высокими целями, от остальных, живущих низменными страстями и заботами сегодняшнего дня.

Если бы родители и Клэр Циммерман видели его в этот миг, верхом, во главе отряда, который он ведет на войну! Никогда еще желанная слава не была так близко. Если бы родные только могли увидеть, как бесстрашно идет он на бой, как горделиво держится в седле, как внимательно глядит по сторонам, чтобы не пропустить приближения врагов, как беззаветно доверяют ему идущие следом солдаты.

Вдруг справа, из сосновой рощи, один за другим загремели выстрелы, и какой-то гусар с хриплым стоном рухнул под ноги своему коню. От неожиданности Фредерик подскочил в седле, а Нуаро с отчаянным ржанием встал на дыбы, норовя сбросить седока. Ровный строй егерей оступился и сломался, пространство вокруг Фредерика взорвалось оглушительными криками:

— Партизаны! Партизаны!

Прозвучали новые выстрелы, егеря стали стрелять в ответ, а юноша все не мог прогнать оцепенение и повернуться к роще.

Разум и воля отказались служить Фредерику. Вокруг трещали выстрелы, метались испуганные кони, и все ждали, что решит офицер. Не в силах понять, что от него хотят, молодой человек обернулся к Домбровскому, который издалека делал ему энергичные знаки и ожесточенно махал в сторону леса.

И что-то переменилось. Кровь хлынула юноше в лицо, с силой ударила в виски. Подстегнув Нуаро, он вскачь рванулся к сосновой роще, не заботясь о том, следуют ли за ним гусары. Фредерик выхватил саблю и высоко поднял ее над головой, чувствуя, как легкие наполняет полный торжества боевой клич. Перед глазами стояла красная пелена, сердце отчаянно билось, разум молчал. Инстинкт заставил Фредерика пригнуться к шее коня, чтобы избежать рокового выстрела в грудь. А зря. Где-то в глубине сознания юноши, не утратившего окончательно способности чувствовать и размышлять, жил мучительный стыд за растерянность, что охватила его в первые мгновения. Фредерик и вправду готов был сложить голову, все что угодно, лишь бы смыть позорное пятно, навеки покрывшее его имя.

_____

Схватка

Сосны приблизились почти вплотную. Нуаро высоко подпрыгнул, чтобы перескочить упавшее дерево, и колючие темно-зеленые ветки больно хлестнули его седока по лицу. Фредерик с яростным криком вонзил шпоры в бока лошади, торопя ее бег. Прямо перед ним как из-под земли вырос партизан; юноша успел разглядеть коричневую куртку, руки, сжимавшие мушкет, белое лицо, безумные глаза человека, который воочию увидел собственную смерть на взмыленном вороном коне, и яркое, словно молния, смертоносное лезвие сабли.

Фредерик ударил на скаку. Лезвие наткнулось на что-то твердое и гибкое, и тело партизана повалилось на землю, задев ногу своего убийцы и круп Нуаро. Среди ветвей маячил силуэт другого испанца. Пока Фредерик усмирял коня, партизан соскользнул с обрыва и пропал из виду. Кое-как совладав с Нуаро и колючими ветками, юноша стал осторожно спускаться вниз по склону, оглядываясь по сторонам в поисках беглеца. Его и след простыл.

Фредерик остановился, размышляя, куда подевался испанец, но беглец в тот же миг появился прямо перед ним и почти в упор выстрелил из пистолета. Фредерик инстинктивно поднял коня на дыбы и почувствовал, как пуля пролетела в нескольких дюймах от его головы; он даже успел разглядеть облачко порохового дыма. Ничего не видя перед собой, едва ли понимая, что делает, юноша пустил Нуаро прямо на своего противника, но тот сумел отскочить и бросился наутек. Однако испанец не сделал и четырех шагов, как подоспевший гусар снес ему голову одним ювелирным ударом. Залитое кровью безглавое тело сделало еще несколько шагов, натыкаясь на стволы деревьев и размахивая руками, будто мертвец пытался защититься от вражеской сабли. Через мгновение он свалился навзничь на усыпанную сосновыми иглами землю, и кровавый спектакль закончился.

Пришедший на подмогу гусар, молодой черноусый щеголь, вытер лезвие сабли о круп своего коня. Фредерик искал глазами отрубленную голову, но ее нигде не было. Должно быть, закатилась в кусты.

Фредерик чувствовал себя совсем разбитым, словно по нему проскакал кирасирский полк. Гусары собирались в роще, на ходу обсуждая детали схватки. Удалось настичь и уничтожить четырех партизан; у гусар не было привычки брать пленных, особенно в Испании. Их противники знали это и никогда не сдавались. Они предпочитали сражаться до конца. Двое товарищей бережно поддерживали в седле лохматого гусара, который всего час назад ходил с Фредериком в разведку. Раненый судорожно вцепился в гриву своего коня, в искаженном болью лице не было ни кровинки. Его ударили ножом в живот.

Фредерик никак не мог прийти в себя, и когда его принялись поздравлять с первым убитым испанцем:

— Великолепный удар, господин подпоручик... Вы его пополам разрубили, — изумленно посмотрел на своих подчиненных, силясь понять, о чем идет речь. Юноша не знал, что скажет Домбровскому, когда тот, пронзив его своим ледяным взглядом, спросит, как мог гусарский подпоручик оказаться низким трусом, как он посмел забыть о своем долге. Тот факт, что нападение удалось отбить, не мог служить ему оправданием.

Лишь услышав приветственные крики пехотинцев, Фредерик понял, что до сих пор сжимает в руке обнаженную саблю, что его сапоги и круп Нуаро перепачканы кровью убитого партизана. Вопреки ожиданиям, Домбровский улыбался. Улыбался ему, Фредерику. В тот момент юноша наконец осознал, что убил врага в первой настоящей схватке. И вспыхнул от гордости.

Не было никаких угрызений совести. Четки и ладанки, все святые во всех храмах этой страны, слепой фанатизм и яростная ненависть к иноземцам-еретикам обернулись сабельным ударом и пролитой кровью. Кошмар французской армии, неуловимые, чудовищные партизаны, растерзавшие несчастного Жуньяка, обрели лица и голоса, пот и кровь; оказалось, что и они порой дрожат от страха и, словно зайцы, спасаются от погони, в надежде обмануть смерть.

Почему они сражались с таким упорством? Ведь их сопротивление не имело никакого смысла. Фредерик не понимал, что заставило испанцев встать на защиту принца, о котором они толком ничего не знали, которого не узнали бы, повстречав на улице, труса без воли и чести, присягнувшего новому властителю Европы и добровольно уступившему ему право на свой трон, посмеявшись над преданностью народа. Теперь в Испании правил французский монарх Жозеф Бонапарт, бывший король Неаполитанский, а ничтожество Фердинанд из своего валенсайского изгнания принес ему клятву верности. Весь мир знал об этом; даже испанцы. Но они продолжали яростно отрицать очевидное.

Две недели назад в Аранхуэсе молодой офицер получил приглашение на ужин от знатного

Схватка

испанца, дона Альваро Вигаля. Вместе с бедня-
гой Жуньяком они провели целый вечер в ста-
ром особняке на берегу Тахо. Хозяин дома был
из тех, кого соотечественники презрительно
именовали «офранцуженными» за либераль-
ные взгляды и открытое преклонение перед Наполеоном. Седой аристократ с усталыми глазами оказался интересным и благодарным собе-
седником, он был прекрасно образован, в
молодости часто бывал во Франции — дон Альваро с гордостью продемонстрировал гостям
свою переписку с Дидро, — а прожитые годы
сделали его тонким и беспощадным знатоком
человеческой натуры. Сеньор Вигаль давно ов-
довел, детей у него не было, и больше всего на
свете он желал провести остаток жизни в уеди-
нении и покое, перелистывая драгоценные то-
ма в своей библиотеке, или прогуливаясь среди
аллей и гротов чудесного сада, за которым старик ухаживал сам.

Дон Альваро Вигаль бесконечно обрадовался визиту двух молодых офицеров из милой его
сердцу страны, обрадовался не в последнюю
очередь потому, что они могли хотя бы на время избавить его от привычного одиночества.
Разговор шел по-французски — благо испанец
свободно владел этим языком. Хозяин и гости
поужинали при свечах в серебряных канделяб-

рах, а после перешли в маленькую гостиную, где престарелый лакей, единственный слуга дона Альваро, подал им кофе и сигары.

По обыкновению меланхоличный Жуньяк — теперь Фредерику казалось, что он уже тогда предчувствовал близкую и страшную смерть, — весь вечер хранил молчание. Поддерживать беседу пришлось испанцу и Фредерику, и хозяин дома с наслаждением пустился в бесконечные рассказы о прошлом. Оказалось, что старик бывал в Страсбурге, и у него с юным эльзасцем нашлось немало общих воспоминаний.

Оба гостя были военными, действие происходило в Испании, и разговор, само собой, зашел о войне. Дон Альваро расспрашивал офицеров о планах Наполеона и восхищался гением императора. Хоть старик и принадлежал к старинному роду, никакого почтения к европейским королевским домам, включая испанский, он не испытывал и полагал, что лишь живительные идеи равенства и прогресса, порожденные Францией, способны удержать Старый свет от окончательного упадка. К сожалению, в Испании Бонапарта ждали тяжкие испытания, хотя он сам до сих пор этого не осознал.

Тут Фредерик позволил себе не согласиться с пожилым испанцем. Он заговорил о новой Европе без оков и предрассудков, которую фран-

Схватка

цузский гений поведет к счастливому будущему, о благотворных идеях, о Человеке, которому вернут его истинное достоинство. Испания, добавил он, томится в плену собственного прошлого, косного, мрачного и жестокого. Только приобщение к прогрессу освободит ее от гнета инквизиции, попов и бездарных правителей.

Дон Альваро внимательно выслушал юношу с улыбкой, полной иронии и невыразимой печали. Когда гусар завершил свою весьма страстную речь — Жуньяк поддерживал его отчаянными кивками — и откинулся на спинку кресла с пылающими от волнения щеками, старик придвинулся к нему и отечески похлопал по колену.

— Послушайте, мой юный друг, — произнес он на почти безупречном французском, но с раскатистым испанским «р». — Я нисколько не сомневаюсь, спасти Европу под силу только Наполеону Бонапарту, хотя в последнее время он делает слишком много ошибок. Я приветствовал его консульство, правда, когда он решил примерить императорскую мантию, мне, признаться, показалось, что это слишком... Впрочем, не в этом дело. Я не ставлю под сомнение политический гений Наполеона, и потому весьма скромные успехи испанской кампании...

— Весьма скромные?!

— Позвольте мне закончить — до чего же нетерпелива молодость. Я не виню Бонапарта, он просто не знает этой страны. Испанская нация — очень древняя, гордая и верная своим мифам, подлинным или лживым. Бонапарт привык к тому, что целые народы покоряются ему, и просто не ожидал, что Пиренеи не захотят покориться. И не важно, хороши или плохи идеи, ибо здесь людей, способных их принять... Испания не монолитна, господа офицеры. Она веками объединяла разрозненные королевства, которые до сих пор бредят свободой, выживала, боролась с маврами, ее земля и История породили особенную породу людей, злобных, упрямых и непокорных. А суровая, нетерпимая церковь сделала их фанатиками.

Дон Альваро замолчал на полуслове, будто ему не хватило воздуха. Слегка улыбнувшись бледными старческими губами, он обвел комнату, хранившую память об истории его собственной семьи, длинным, печальным жестом исчерченной синими узорами вен руки.

— Все это здесь, — сказал он очень устало, как человек, вынужденный вновь и вновь вступать в неравный бой со злом и всякий раз терпеть поражение. — Ржавые доспехи, портреты людей, давно превратившихся в прах... Видите? Ярких красок почти нет; на этих картинах и

Схватка

так преобладали темные тона, а время сделало их еще темнее. Много тени и совсем мало света, ровно столько, чтобы показать эти суровые и гордые лица, эти высокомерные губы, эфесы шпаг, распятия, высокие воротники... Никто из них не улыбается, друзья мои. Они мрачны, черны их одежды, и холодные краски портретов не способны передать ледяную тьму, царящую в их душах. Многие из них были поистине великими людьми; все без исключения усердно молились и страстно предавались разврату. Они не склоняли голов перед королями, но готовы были заискивать перед небритым деревенским священником. Они сражались во имя Господа и Короны по всей Европе, в Индиях и Северной Африке, воевали с протестантами, англичанами, мусульманами... Они были храбрыми солдатами, настоящими аристократами и верными вассалами. И все они, кроме тех, кому довелось встретить смерть в каком-нибудь совсем уж диком углу, исповедовались и причащались перед тем, как отойти в мир иной. Таким был мой дед. И отец... По иронии судьбы рядом со мной, последним потомком древнего рода, в смертный час будет только верный старый слуга. Если, конечно, мой Лукас не сыграет злой шутки и не умрет раньше меня.

Старик помолчал, печально глядя на портреты. Потом он повернулся к молодым офицерам и улыбнулся как-то жалко:

— Если в один прекрасный день император зайдет ко мне в гости, как вы сегодня, я буду рад познакомить его со своими предками. Возможно, тогда он поймет эту землю немного лучше.

Жуньяк, откровенно скучая, рассматривал галерею. Но Фредерика слова старика по-настоящему взволновали.

— Странно слышать от вас подобные вещи, — осторожно заметил он. — Вы ведь испанец, дон Альваро, а сами исповедуете религию Идей. Вы только что показывали нам свою библиотеку... Отчего же такие люди, как вы, не хотят стать вождями соотечественников, направить их на истинный путь? В истории есть немало примеров того, как образованное меньшинство освобождало целые народы от мрака невежества, распахивало окна, чтобы каждый дом наполнился светом разума, разгоняло мрачные призраки, показывало всем, что границ не существует и человечество должно объединиться, чтобы идти вперед.

Старый аристократ грустно улыбнулся:

— Послушайте, друг мой. Давным-давно, когда Испания правила всем миром, еще один император мечтал о том же, о чем сейчас Бонапарт:

Схватка

объединить Европу. Он родился за границей, во Фландрии, но стал испанцем настолько, что незадолго до смерти отрекся от престола и удалился в монастырь в местечке под названием Юсте. Этот император, возможно, величайший правитель всех времен, много воевал, всю жизнь соперничал с Францией и не только боролся с оплотом европейской независимости, коим считал лютеранство, но и беспощадно искоренял испанскую гордыню. Он боролся и проиграл, и тогда его сын Филипп, фанатик с черной душой, уничтожил мечту своего отца. Наступил золотой век инквизиции и попов. Пиренеи стали препятствием не только для людей, но и для идей... В последние годы Испании наконец достиг ветер перемен, и она стала потихоньку выбираться из пропасти. Сторонники прогресса увидели в революции, свергнувшей Бурбонов, знак того, что времена действительно меняются. Бонапарт и Франция подарили нам надежду... Незнание страны и слабость наместников оказали Императору скверную услугу, но как замечательно все начиналось... Нет, испанцев нельзя спасти насильно. Уж лучше мы будем спасать себя сами, постепенно, не ломая сразу старых порядков, которым подчинялись слишком долго. В противном случае мы обречены. Штыками здесь не насадить ни одной идеи.

Упоминание штыков вывело Жуньяка из оцепенения. Прежде чем начать говорить, он откашлялся с довольным видом человека, наконец нашедшего интересную тему для беседы.

— Но ведь теперь здесь новый король, — убежденно заявил молодой человек. — Мадридские кортесы признали Жозефа Бонапарта. А если испанская армия не хочет ему присягать, есть мы, чтобы защитить трон.

Дон Альваро с усмешкой наблюдал солдатские манеры Жуньяка. Он покачал головой:

— Не обманывайте себя. Я слышал о том, что несколько смелых и прогрессивных депутатов кортесов призывают к союзу с Францией, в котором они видят спасение нации. Но эти господа слишком далеки от народа; они не способны видеть дальше собственных носов. Посмотрите вокруг. Испания — кипящий котел, в каждом городе зреет восстание. Вы, французы, не оставили нам выбора. Придется воевать, и, попомните мои слова, это будет страшная война.

— Мы победим в этой войне, сеньор, — заявил Жуньяк с покоробившим Фредерика высокомерием. — В этом можете не сомневаться.

Дон Альваро улыбнулся мягко и устало:

— Боюсь, что нет. Боюсь, вам не победить, господа; это вам говорит старик, который любит Францию всем сердцем и давно уже не мо-

Схватка

жет защищать свои убеждения с оружием в руках, а если бы мог, то взял бы саблю и пошел бы воевать бок о бок с этими фанатиками и дикарями; и тогда мне пришлось бы сражаться против того, во что я страстно верил всю жизнь... Не так-то просто все это понять? Вы правы, очень трудно, и, боюсь, сам Наполеон, поистине великий человек, ничего не понимает. Второго мая в Мадриде между нашими народами пролегла пропасть; пропасть, наполненная кровью, в которой утонули надежды многих людей, вроде меня. Я слышал, что, получив от Мюрата донесение об этой чудовищной бойне, Бонапарт заметил: «Отлично, это их утихомирит»... Но он страшно ошибается, друзья мои. Ничто нас не утихомирит. Французы предложили нам превосходную конституцию, воплощение всех наших чаяний и надежд. А еще они разграбили Кордову, насиловали испанских женщин, расстреливали священников... Ваши действия, само ваше присутствие здесь оскорбляют мой темный, упрямый, мой гордый народ. Остается только война, война именем ублюдка Фердинанда, теперь он — символ нашего сопротивления. Это ужасно.

— Но вы же образованный человек, дон Альваро, — настаивал Фредерик. — В Испании есть еще люди, похожие на вас; их много. Почему вы не хотите открыть другим испанцам глаза?

Дон Альваро Вигаль низко склонил седую голову.

— Мой народ верит в то, что видит. Бедность, голод, несправедливость и предрассудки не способствуют философским размышлениям. А видит он, что чужаки шагают по его земле, в которой спят его предки и гниют кости множества врагов. Сказать испанцам, что все не так просто, значит стать предателем.

— Но ведь вы патриот, дон Альваро. Никто не посмеет это отрицать.

Испанец пристально посмотрел на Фредерика и горько скривил рот.

— Еще как отрицают. Я офранцуженный, разве вы не знали? Здесь это самое страшное оскорбление. Не исключено, что в один прекрасный день за мной придут, как пришли за многими из моих старых друзей.

Фредерик был ошеломлен.

— Не посмеют, — заявил он.

— Еще одна ошибка, друг мой. Ненависть — на редкость мощный механизм, а мы, испанцы, умеем умирать и ненавидеть, как ни один другой народ. Так что рано или поздно соотечественники до меня доберутся. Забавнее всего то, что их едва можно за это осудить.

— Это несправедливо, — прошептал потрясенный Фредерик.

Схватка

Дон Альваро ответил ему ясной, дружеской улыбкой.

— Несправедливо? Отчего же? Опять вы ошибаетесь, молодой человек. Ничего подобного. Это Испания. Чтобы понять ее, надо здесь родиться.

До позиции, которую надлежало занять Восьмому легкому, оставалось меньше лье. Фредерик ехал шагом и поминутно осматривался, боясь вновь пропустить появление врага. Юноша давно успокоился, его сердце билось ровно, а разум прояснился. Время от времени он бросал случайный взгляд на левый сапог, на котором засохла кровь убитого партизана. Это бурое пятно не имело отношения к словам дона Альваро Вигаля; получалось, что Фредерик убил не человека, а какое-то опасное животное.

Взмокшие солдаты плелись через поле. Деревушка, в которую они направлялись, оказалась нищей и серой, лишь у пары домов были побелены стены. Из-за ближних холмов несколько раз стреляли, но пули, не долетая, с жужжанием впивались в мокрую землю. Мимо галопом промчался Мишель де Бурмон со своим отрядом, торопившимся занять место во главе колонны стрелков. Проводив глазами друга, Фредерик повернулся к пехотинцам, и только теперь заметил, как они измучены. Офицеры Восьмого орали на своих людей, чтобы те прибавили шаг, и солдаты с багровыми от натуги лицами старались двигаться быстрее, неся на весу тяжелые мушкеты.

На горизонте сверкнул последний солнечный луч, и косматые тучи вновь надежно укрыли небо. Из-за деревьев и больших камней все время стреляли. Слева, в перелеске, виднелись силуэты всадников Четвертого эскадрона, ожидавших, когда неприятель начнет отступать.

На подходе к селению колонна остановилась, и люди смогли немного отдохнуть. Огонь испанцев стал интенсивнее, и несколько пехотинцев рухнули на землю. Де Бурмон поспешил увести своих гусар на левый фланг, а стрелки-пехотинцы выдвинулись вперед, не прекращая обстреливать деревню.

Фредерик наблюдал за маневрами батальона, стараясь не упускать из виду скалы и деревушку. Солдаты бегом выдвигались на позиции, офицеры метались среди них, выкрикивая приказы. До неприятеля было рукой подать; пехотинцы растянулись цепью параллельно горизонту, на нераспаханном поле, уперев в землю приклады своих мушкетов. Фредерик вскочил в седло и приказал своему батальону поворачи-

Схватка

вать назад. Вскоре им повстречалась рота егерей, командир которых что-то чертил на земле
острием сабли и едва ответил на приветствие
гусар. Солдаты отрешенно смотрели перед собой, надев кивера на штыки. Но вот протрубил
горн, загремел барабан. Офицер будто очнулся
от сна, повернулся к своим солдатам и громко
отдал какое-то распоряжение. Егеря тяжело за-
вздыхали, но прикусили языки, подняли мушкеты и двинулись вперед.

Фредерик придержал коня, и, поднявшись в
стременах, огляделся по сторонам. Батальон
под яростным огнем продвигался к деревне.
Вот синие колонны застыли на месте, чтобы через несколько секунд возобновить наступление. Вокруг сгущались клубы порохового дыма.
Пехота замирала, повинуясь барабану, и вновь
шла вперед, едва он менял ритм, оставляя на
земле бездыханные тела в синих мундирах.
Вскоре дым полностью окутал поле, а канонада
слилась с криком наступающих солдат.

V

Битва

Эскадрон собрался в поросшем оливами ущелье, неподалеку от командного пункта полка. На горизонте не смолкали пушки, шум боя казался близким и отчетливым.

Люди и лошади отдыхали. Фредерик снял кольбак и пристегнул его к седлу. Он тщательно осмотрел Нуаро, ища ушибы и ссадины, и только потом сделал несколько глотков из походной фляги. Юноша почти не устал и чувствовал себя великолепно. Он отвел коня к лежавшему поодаль большому плоскому камню, уселся на него и принялся разминать ноги. Поблизости компания гусар обсуждала ход битвы. Фредерик немного послушал, как они со знанием дела рассуждают о планах командования и возможном исходе битвы. Вскоре юноше надоела пустая болтовня, и тогда он улегся прямо на камень и закрыл глаза.

Образ Клэр Циммерман возник перед ним внезапно, отогнав переживания этого дня. Фредерик услышал далекие звуки музыки. Прелестная синеглазая девушка смотрела на него, не скрывая восхищения. Свечи отбрасывали на ее локоны золотистые блики. Бледно-голубое платье и изящная бархотка на нежной шее подчеркивали прозрачную белизну безупречно гладкой кожи и чистый, здоровый румянец.

Их взгляды встретились, и девушка вспыхнула, грациозно прикрыв лицо веером; однако ярко-синие глаза продолжали невинный поединок несколько мгновений дольше, чем могли бы позволить приличия. Достаточно долго, чтобы пробудить в сердце молодого гусара томительную нежность. Вновь поймав этот взгляд в разгар банальной светской беседы, Фредерик мгновенно позабыл о предмете разговора и, когда один из гостей обратился к нему с вопросом, сумел лишь рассеянно кивнуть в ответ. Чуть позже юноша приблизился к огромному зеркалу в глубине зала, в котором отражались танцоры и оркестр, — убедиться, что доломан сидит по-прежнему безупречно, а ментик наброшен на левое плечо с подобающей элегантной небрежностью. Там его настигла хозяйка дома госпожа Циммерман и учтиво, но решительно попросила удостоить чести быть представленным ее дочери.

Путь к широкому окну, у которого ждала Клэр Циммерман со своими кузинами, показался юноше бесконечно долгим. Заметив приближение Фредерика, девушка отвернулась к окну, словно увидела в сумрачном саду что-то на редкость интересное. Двое молодых щеголей, друзей семьи, неприязненно покосились на Фредерика, не без оснований предположив, что офицерский мундир удесятеряет шансы их соперника.

— Клэр, Анна, Магда... Я счастлива представить вам подпоручика Фредерика Глюнтца, сына Вальтера Глюнтца, большого друга господина Циммермана. Фредерик, моя дочь Клэр и племянницы Анна и Магда.

Фредерик учтиво поклонился, щелкнув каблуками начищенных до блеска сапог. На Анну и Магду он взглянул мельком, лишь для того, чтобы не показаться невежливым. Его пьянила близость прекрасных, кротких синих глаз.

Обязанности хозяйки дома не позволили госпоже Циммерман продолжить беседу. Друзья семьи предпочли ретироваться, и кузины — Фредерику запомнилось лишь глупое хихиканье и усыпанные прыщами мордочки — мгновенно окружили юношу, засыпав его вопросами об армии, кавалерии, Наполеоне и войне. Узнав, что новоиспеченный офицер отправляется в Испанию, девицы пришли в полное неистовство. Но сам Фредерик замечал лишь синие глаза и робкую улыбку Клэр Циммерман.

— Испания — это так далеко, — вздохнула девушка, и в этот момент подпоручик понял, что влюблен.

— Неужели кавалерийский офицер боится смерти? — поинтересовалась Магда, широко распахнув любопытные глаза.

— Нет, — ответил Фредерик, продолжая смотреть на Клэр. — Но есть вещи, которых очень жаль перед смертью.

Кружевной веер вновь взметнулся вверх, но от юноши не укрылись ни заливший щеки Клэр румянец, ни слезы, наполнившие ее глаза.

— Надеюсь, вы посетите нас, когда вернетесь из Испании? — спросила девушка, немного овладев собой.

Кузина Анна с энтузиазмом поддержала ее:

— Обещайте, что навестите нас, подпоручик Глюнтц. Вы нам расскажете столько интересного, правда? Пообещайте же.

Точеные руки Клэр, сквозь прозрачную кожу которых проступали трогательные голубые жилки, нервно играли веером. Фредерик слегка поклонился.

— Я непременно приду, — горячо пообещал он, — даже если для этого мне придется драться на саблях со всеми демонами ада.

Кузины смущенно закудахтали, удивленные порывом молодого офицера. Но синие глаза Клэр Циммерман снова повлажнели от слез, и Фредерик понял, что обещание приняли, и будут ждать его возвращения.

Появление Мишеля де Бурмона вмиг развеяло чудесные воспоминания. Пробудившись, Фредерик вновь увидел серое небо и услышал канонаду. Он был в Испании, а Страсбург остался позади, в безнадежно далеком прошлом.

— Ты заснул? — поинтересовался де Бурмон, усаживаясь на камень. Его штаны и сапоги были сверху донизу забрызганы грязью.

Фредерик покачал головой:

— Я вспоминал. — Он махнул рукой, окончательно прогоняя неуместные воспоминания. — Но не думать о том, что там делается, чертовски трудно. Мысли приходят и уходят, их не удержать. Наверное, так и должно быть, когда идет бой.

— Воспоминания были приятные? — спросил де Бурмон.

— Очень приятные, — вздохнул Фредерик.

Де Бурмон махнул рукой в сторону холмов, из-за которых доносился шум битвы.

— Должно быть, приятнее, чем все это?

Фредерик рассмеялся:

— Лучше этого ничего нет, Мишель.

— Я тоже так думаю. Кстати, дружище, у меня хорошие новости. Если ничего не переменится, для нас очень скоро найдется настоящее дело.

— Ты что-нибудь узнал?

Де Бурмон пригладил усы.

— Говорят, Восьмой легкий наконец занял деревню, в рукопашной, после трех неудачных попыток. Теперь мы внутри, неприятель снаружи, но у Восьмого беда на переднем крае. Испанцы собираются с другой стороны и подтягивают артиллерию. Домбровский только что сказал, что нам, судя по всему, придется вмешаться. Похоже, генерал Дарнан требует, чтобы мы навели в конце концов порядок на своем фланге.

— Значит, мы пойдем в атаку?

— Судя по всему; мы ближе всех. Домбровский сказал, что наш эскадрон занимает самую выгодную позицию.

Фредерик приподнялся посмотреть, где Нуаро, и бросил случайный взгляд на испачканный

Битва

бурой кровью сапог. Чужая кровь. Внезапно ужаснувшись, Фредерик принялся яростно считать ногтями бурое пятно.

— Адский трофей, — прокомментировал де Бурмон. — И награда за храбрость, без сомнения; ты хорошо себя показал. Знаешь что? Когда я увидел, как ты понесся галопом к тем соснам, с саблей наголо, слепой, словно бык, я решил, что вижу тебя последний раз в жизни; но я гордился, что ты был моим другом... Каково это было? Нам ведь до сих пор не представился случай поговорить.

Фредерик пожал плечами.

— Гордиться особенно нечем, — честно ответил он. — Да я, признаться, и не помню толком, что произошло. Стреляли, один из моих людей упал, я сначала растерялся, а потом словно утратил рассудок. Я ненавидел, как еще никогда, никого в своей жизни. С того момента я помню только скачку, сосновые ветки хлестали меня по лицу, помню, как тот несчастный, который от меня убегал, обернулся, и в глазах у него был ужас... Все было в каком-то красном тумане, в меня целились из пистолета, а я ударил саблей... Еще помню, как безголовое тело бежало, натыкаясь на деревья.

Де Бурмон внимательно слушал, время от времени кивая.

— Да так оно и бывает, — сказал он наконец. — В атаке точно так же, но там ты не один. Так ветераны говорят.

— Скоро узнаем.

— Да. Скоро мы все увидим.

Фредерик нащупал эфес сабли.

— Знаешь что, Мишель? Оказывается, на войне ожидания куда больше, чем событий. Тебя поднимают затемно, отправляют неизвестно куда, ничего тебе не объясняют, не говорят даже, кто побеждает, наши или враги... Мелкие стычки, усталость, смертельная скука. И нельзя узнать заранее, ждет ли тебя слава. Разве это справедливо?

— Я не вижу тут особой несправедливости. Есть солдаты и командиры. А у командиров свои командиры. Только они знают все.

— А ты уверен, что они и вправду *знают*, Мишель? Сколько раз ошибки каких-нибудь генералов, а то и полковников, приводили к страшным катастрофам, гибели целых армий... Великих армий. Разве так должно быть?

Де Бурмон с любопытством посмотрел на своего друга:

— Такое случается. Но что поделать, это война.

— Я понимаю. Но ведь армии состоят из людей — таких же, как мы с тобой; из простых смертных. Какая страшная ответственность лежит на тех, кто отдает приказы, от кого зависит жизнь ста, двухсот или десяти тысяч человек. Я бы не был так уверен и спокоен на месте Летака, Дарнана и всех остальных.

— Они знают что делают. — Оборот, который приняла беседа, пришелся де Бурмону не по душе. — Нам с тобой очень далеко до такой ответственности. И я не вижу никаких причин для беспокойства.

— Ладно. Это просто мысли и ничего больше. Забудь о том, что я сейчас наговорил.

Де Бурмон внимательно оглядел Фредерика:

— Прежде подобные мысли не могли тебя лишить покоя.

— И сейчас не могут, — заявил Фредерик, не колеблясь ни мгновения. — Просто если ты ни разу в жизни не видел настоящей битвы, картины, которые рисует воображение, оказываются неверными, или не совсем верными... Должно быть, именно это со мной и происходит. Не тревожься обо мне. У меня голова кружится от шума сражения, от близости славы, от того, что буду биться плечом к плечу со своими товарищами, с тобой. Я смогу причаститься славы, защитить честь Франции и нашего полка. Собственную честь... Просто сегодня, после стольких маршей и вылазок, смысла которых нам так никто и не объяснил, я понял, что на войне мы пешки, которыми жертвуют, когда приходит нужда. Ты понимаешь, что я хочу сказать?

— Разумеется. Но бессловесная пешка не поскакала бы в рощу, чтобы дать отпор партизанам, Фредерик.

— Ты прав. Вот это мне по нраву. Моменты, когда все зависит от меня самого. Меня утомляют бесконечные маневры, приготовления и ожидания. Вот что мне совсем не нравится, Мишель.

— А кому это понравится?

Канонада приблизилась, и лошади беспокойно прядали ушами, прислушиваясь к раскатистым звукам. Ветераны понимающе переглядывались, с видом знатоков кивая на скрывавшие поле битвы холмы. Подъехали верхом поручики Жерар и Филиппо.

— Ну вот, друзья мои, запахло жареным! — весело воскликнул Филиппо, поглаживая гриву коня. — Пусть меня повесят, если в самое ближайшее время мы с вами не погоним дикарей! Надеюсь, у вас хорошие сабли?

— Неплохие, благодарю, — отозвался де Бурмон. — Вернее всего будет сказать: обагренные кровью.

— Слышу настоящего гусара, — загремел Филиппо, не утративший перед лицом смертельной битвы ни капли своего фанфаронства. — А ваша сабля, Глюнтц? Она тоже обагрена кровью?

— Боюсь, посильнее вашей, — с улыбкой ответил молодой человек.

Филиппо оглушительно расхохотался.

— Я правильно понял? — спросил он, указывая на бурый от крови сапог Фредерика. — Черт побери, эти эльзасцы неисправимы! Стоит им один раз кого-нибудь прикончить, и уже сам дьявол их не остановит... Оставьте хотя бы пару испанцев своим друзьям, юноша!

Приближение битвы заставляло гусар держаться ближе друг к другу. Реплики становились все короче, разговоры угасали сами собой, и все больше людей в молчании устремляло взгляд на невысокую гряду холмов, отделявшую их от поля битвы.

Внимание Фредерика приковал незнакомый пожилой гусар. Он сидел верхом на сером в яблоках коне, слегка наклонившись вперед и задумчиво глядя в пространство. Весь облик гусара, седые усы и виски, и, конечно, глубокий шрам на щеке, параллельно подбородному ремню, выдавали в нем ветерана. Тщательно промасленная сбруя его коня была совсем старой, а седло из бараньей кожи вытерлось от времени. Иногда гусар рассеянно приглаживал кончики густых усов указательным пальцем левой руки. Правая рука лежала на прикладе карабина, торчавшем из пристегнутого к седлу кожаного чехла; на левом бедре, поверх ношеных штанов, закрывавших сапоги почти до щиколотки, болталась кривая кавалерийская сабля модели, которая вышла из употребления еще в 1786 году. Козырек алого кивера — медвежий кольбак был привилегией офицеров — отбрасывал тень на широкий, горбатый нос, с которым ветеран походил на хищную птицу. У него была загорелая, изрезанная морщинами кожа и спокойные серые глаза. В уши гусара были продеты золотые колечки.

Фредерик прикинул, сколько лет могло быть ветерану: точно не меньше сорока. Едва ли сегодняшняя битва была первой в его жизни. Старый солдат был совершенно спокоен, сдержан в движениях, он взирал на нетерпеливую молодежь с отстраненностью человека, который отлично знает наперед, что будет дальше. Казалось, гусар совершенно не радовался новой встрече со славой; он куда больше походил на опытного наемника, для которого рисковать собственной шкурой — ремесло не лучше и не хуже всех остальных; он повидал немало подобных переделок и теперь с полным равнодушием ждет, когда придет время отправляться на битву.

Фредерик сравнил ленивое спокойствие ветерана с южной горячностью и невыносимой болтливостью Филиппо, с беззаветной решимостью, но не вполне оправданной верой де Бурмона. И с тревогой подумал, что, возможно, из них троих один только старый гусар и прав.

Трубач сыграл сбор для офицеров. Фредерик вскочил, оправляя доломан, а де Бурмон опрометью бросился к своей лошади. Филиппо и Жерар уже скакали навстречу майору Берре и ротмистру Домбровскому, бешеным галопом несшимся вниз по склону холма к ущелью.

Фредерик кое-как напялил кольбак, сунул ногу в стремя и вскочил в седло. Не дожидаясь офицерских приказов, унтеры сами строили рядовых в колоны. Небо совсем нахмурилось, вновь угрожая дождем.

— Вот оно Фредерик! Наш черед!

Де Бурмон изо всех сил пытался умерить нервную пляску своего коня. Непроницаемый Берре ожидал других офицеров под орлиным штандартом, которым размахивал подпоручик Блондуа. Гусары окружили своего командира: серьезные лица, напряженные взгляды, медвежьи шапки, синие мундиры, расшитые золотом. Цвет императорской легкой кавалерии, офицеры Первого эскадрона Четвертого гусарского полка: ротмистр Домбровский, поручики Маньи, Филиппо и Жерар, подпоручики Лаффон, Блондуа, де Бурмон и сам Фредерик... Люди, которые совсем скоро поведут сотню гусар к славе или к гибели.

Берре холодно рассматривал подчиненных единственным глазом. Никогда еще Фредерик не видел командира таким решительным, таким суровым.

— В одном лье отсюда Восьмой легкий столкнулся с двумя испанскими пехотными батальонами. Наша пехота сдерживает неприятеля с большим трудом, и потому мы получили распоряжение атаковать и рассеять испанцев. Два эскадрона, включая наш, остаются в резерве, а Второму выпала честь вступить в сражение... Вопросы есть? Отлично... В таком случае мне остается лишь пожелать вам удачи. По местам, господа.

Фредерик задохнулся от разочарования. Неужели это все? А как же особые мужественные слова, призванные вдохновить воинов на битву за Императора? Не то чтобы юноша ждал от майора возвышенной патриотической речи, но ему всегда казалось, что перед боем командир должен напомнить солдатам о долге и разжечь в их сердцах жажду славы. А теперь Фредерику мстилось, что его обманули. Вместо слов, которые могли принести ему бессмертие, майор ограничился банальными распоряжениями: занять позиции там-то, делать то-то. Вот полковник Летак наверняка знал бы, что сказать своим гусарам, прежде чем вести их на поле битвы, откуда многим не суждено вернуться; жаль, что его целый день не было видно.

Трубач сыграл построение. Берре, лихо подбоченясь, поскакал вперед, за ним тронулись Блондуа, сжимавший в руках древко штандарта, и штаб-трубач. Ротмистр Домбровский оглядел остальных ледяными серыми глазами:

— Вы все слышали, господа.

Других слов не требовалось. Эскадрон был построен и готов выступить: восемь рядов по двенадцать человек в каждом, по бокам унтерофицеры, образовали колонну в пятнадцать шагов шириной и длиной почти семьдесят. Домбровский занял место во главе строя, рядом с Берре. Фредерик и де Бурмон переглянулись. Юноша внимательно посмотрел на своего друга, на всякий случай стараясь запомнить его открытый взгляд и широкую улыбку, пшеничные усы, благородное лицо, обрамленное темным мехом и золоченым ремнем кольбака, светлые кудри, волевой подбородок. Мишель де Бурмон был слишком красив, чтобы умереть. Фредерик

молил судьбу оставить друга целым и невреди-
мым, дать крылья его коню, дать ему сил одо-
леть врага.

— Мы будем жить и победим, дружище, — пообещал де Бурмон, словно прочитав его мысли.

Раз верный друг свято верит в победу, как
может быть иначе? Фредерик хотел было что-
то сказать, но горло сдавили непрошеные слезы. Покраснев, он молча снял перчатку и крепко сжал руку товарища.

Снова пропел горн, и первый эскадрон Четвертого гусарского начал свой путь к славе.

Чем выше поднимались гусары по склону
холма, тем сильнее становился дождь. Вслед за
Берре, Домбровским и штандартом тянулась
первая рота во главе с поручиком Филиппо.
Фредерик ехал во втором ряду, замыкая свое от-
деление, а де Бурмон скакал следом, возглавляя
свое. В середине второго отделения, которое
вел поручик Маньи, находились Лаффон и Филиппо. Колонна была построена по всем правилам, словно не спешила на битву, а собиралась
пройти торжественным маршем перед самим
Императором.

Строй гусар тянулся среди поросших оливами холмов, словно гигантская змея. С прибли-

Битва

жением битвы смолкли досужие разговоры. Всадники ехали молча, мрачно глядя в спины тем, кто скакал впереди.

Землю совсем развезло от дождя, в лужах застыли куски лилового неба. Фредерик откинулся в седле, перебирая пальцами узду. Внешне юноша был совершенно спокоен, но душа его трепетала от близкой канонады, словно война стремилась завладеть им, проникнуть в его сердце.

В голове Фредерика мучительно крутилась одна и та же навязчивая мысль. Она возникла во время последнего разговора с де Бурмоном, и юноша ни за что не стал бы высказывать ее вслух. Давным-давно, в раннем детстве, Фредерик любил бросать в огонь оловянных солдатиков и наблюдать, как металлические фигурки оплывают и меняют форму, охваченные пламенем. Юноша подумал о командирах, способных отправить на смерть тысячи людей из-за нелепой ошибки в расчетах, собственного тщеславия или простого стечения обстоятельств, и вообразил чудовищную картину: два монарха кидают в пекло солдатиков из крови и плоти, чтобы посмотреть, что с ними сделает огонь. Ротам, батальонам, целым полкам была уготована одна и та же участь. Их судьбы — и сама мысль об этом приводила Фредерика в ужас — находились в руках одного человека, какого-нибудь императора или короля. Юноша не посмел сказать об этом своему другу, опасаясь предстать в глазах де Бурмона трусом. Тому и так не слишком понравились сомнения Фредерика. Де Бурмон был цельным человеком, прирожденным солдатом, храбрым и благородным. И Фредерик с горечью подумал, что, возможно, одолевшие его горькие мысли на самом деле — признаки тщательно скрытой трусости, недостойной того, кто носит гусарский мундир.

Юноше понадобилось огромное, почти физическое усилие, чтобы прогнать предательские сомнения. Он глубоко вздохнул и принялся рассматривать дымчатые стволы олив. Фредерик сжимал коленями крепкие бока верного Нуаро, видел невозмутимые лица товарищей, и всей душой желал, чтобы их спокойствие снизошло и на него. В конце концов, говорил он себе, сейчас настало время посадить все сомнения под замок, высоко поднять голову и вызвать к жизни то удивительное чувство, что позволяет выхватить саблю и без страха броситься на врага. Когда придет заветный миг, его ничто не остановит: Нуаро понесет своего седока хоть в преисподнюю, а если придется защищать собственную жизнь, в голове попросту не останется места для несвоевременных размышлений.

Эскадрон почти достиг поля битвы, куда Фредерик совсем недавно сопровождал Восьмой легкий. Густой дым сражения покрыл окрестности желтоватой пеленой, но глаз все же различал разбросанные по долине деревушки и темную громаду леса на левом краю поля. Отовсюду гремели выстрелы, и вырывавшийся из ружейных дул огонь прочерчивал туман, подобно всполохам молний. По серой земле, под серым небом, в желтом дыму передвигались толпы людей, синие, зеленые, коричневые пятна, они то вытягивались в линии, то сталкивались, смешиваясь друг с другом, то рассыпались под ударами артиллерии, наполнявшими влажный воздух раскатистым громом.

Под изъеденной осколками стеной какого-то амбара прямо на земле валялись раненые французы: жуткие свидетельства того, как сталь и свинец могут разорвать, покалечить, изуродовать человеческое тело. Раненые, наспех перевязанные чем придется, неподвижно лежали кто на боку, а кто ничком. Под убогим навесом из парусины, досок и перевернутых телег два врача без отдыха промывали, бинтовали и ампутировали. Над группой раненых витал неясный шум, общий стон, болезненный и монотонный, в который время от времени врезался чей-нибудь слабый вскрик. Фредерик обратил внимание на молодого солдата без кивера и ружья, который бесцельно, слепо бродил вдоль стены и дико хохотал. На первый взгляд солдат не пострадал, на покрытом маской копоти лице горели безумные, черные как уголья глаза. Судя по всему, он повредился рассудком.

Майор Берре приказал эскадрону перейти на рысь, торопясь увести своих людей от этого кошмарного места. Земля была сплошь изрыта колеями от телег и артиллерийских орудий, изранена конскими копытами. По дороге всадникам повстречалась группа отступающих пехотинцев в белых кирасах и заляпанных грязью гетрах. Покрытые пылью солдаты валились с ног от усталости, с трудом удерживая на плечах мушкеты. Должно быть, им пришлось побывать в самой гуще сражения, и фортуна оказалась не на их стороне. Двое солдат, замыкавших маленький отряд, тащили за собой раненого товарища с рукой на перевязи из его собственной рубашки. Чуть подальше эскадрон обнаружил целую дюжину раненых, на своих ногах ковылявших в сторону полевого госпиталя. Многие опирались на мушкеты, как на костыли, а трое солдат шли гуськом, держась друг за друга и спотыкаясь о каждый камень: корки запекшейся крови закрывали им глаза.

— С этих достаточно, — заметил какой-то гусар. — Похоже, парни взяли на себя немного причитавшегося нам свинца.

В ответ на шутку никто не засмеялся.

Война.

Олива, на которой повесили двоих испанцев. Дымящиеся хижины, мертвые лошади и повсюду, куда ни кинешь взгляд, трупы в синих, зеленых, коричневых мундирах. Утонувшая в грязи перевернутая пушка со сломанным и забитым землей дулом, чтобы враги не могли взять ее себе. Мертвый французский солдат, лежащий навзничь, с широко распахнутыми глазами и разбросанными вокруг внутренности. Сидящий на камне раненый с отсутствующим взглядом, который зябко кутался в плащ и знаками прогонял товарищей, отказываясь идти в госпиталь. Конь с пустым седлом, который робко щипал травку и с испугом бросался прочь, когда к нему пытались приблизиться, словно боялся, что его снова бросят в пекло.

Для Фредерика мир сузился до мрачной долины, где под свинцовым небом метались обезумевшие от канонады птицы, а люди с остервенением продолжали убивать друг друга. В какой-то момент юноше показалось, что, если бы светило солнце, и Нуаро ступал бы по сухой земле, картина сражения был бы не так страшна. Впрочем, Фредерик поспешно отверг подобные мысли; и самое яркое весеннее солнце едва ли смогло бы разогнать мрачных призраков, сопровождавших его на пути к славе.

Местность стала совсем пологой, колонны олив редели, и эскадрон перешел на рысь. Майор Берре, гордо выпрямившись, скакал под орлиным штандартом, с ротмистром Домбровским по левую руку и штаб-трубачом по правую. Вскоре гусары выехали на ту самую дорогу, по которой Фредерик вел Восьмой легкий в деревню, и юный подпоручик смог еще раз взглянуть на сосновую рощу, где он убил партизана. Однако не успел Фредерик всмотреться в темные стволы, как дорога повернула вправо, и внимание юноши отвлеклось на стремительно приближавшийся Второй эскадрон, спешивший присоединиться к ним перед атакой. Выстрелы не смолкали, но неприятеля пока не было видно.

Эскадроны встретились у подножия холма, и встали, не смешиваясь друг с другом. Второй остановился в семидесяти варах[1] от первого, и Фредерик невольно залюбовался идеальным строем, который держали гусары. Лошади не-

1 Старая испанская мера длины, равная 83,5 см.

терпеливо всхрапывали, кусали поводья, рыли копытами влажную землю. Хорошо обученные боевые кони чувствовали приближение атаки.

Берре, Домбровский и старшие офицеры второго эскадрона поднялись на холм, чтобы осмотреться. Остальные гусары не двигались с мест, ожидая сигнала. Фредерик развернул свои пистолеты и наклонился проверить стремена и подпруги Нуаро. Потом он отыскал глазами де Бурмона, но тот не отрывал взгляда от Берре и остальных.

— Посмотрим, дойдет ли до дела теперь, — пробормотал сквозь зубы какой-то гусар слева от Фредерика, и юноша с трудом удержался от резкого замечания. Слишком много ожидания было в этот день, слишком много задержек и промедлений. Фредерик дрожал от нетерпения. Ему хотелось немедленно броситься в атаку, покончить с сомнениями, встретиться лицом к лицу с судьбой, которая ждет за холмами. Какого черта медлит Берре? Стоит задержаться здесь еще немного — и враг непременно обнаружит их и нападет первым или скроется; или по крайней мере успеет укрепить оборону. Чего же все они ждут?

Сердце определенно решило вырваться из груди; Фредерику казалось, что стоявшие поблизости гусары могут услышать его гулкие удары. Дождь лил не переставая, бил подпоручика по плечам, стекал с носа и подбородка. Боже милостивый. Боже милостивый. Боже милостивый. Они торчат здесь, словно конные статуи, и ждут, когда этому безмозглому Берре заблагорассудится повести их в атаку. Ну что тут непонятного? Наши по эту сторону холма; враг по другую. Все очень просто, и нечего ломать голову. Достаточно подняться по склону и лавиной броситься вниз, сметая дикарей. Отчего же медлит майор?

Перед глазами Фредерика опять возник образ Клэр Циммерман, и юноша с ожесточением заморгал, чтобы прогнать непрошеное видение. К дьяволу. К дьяволу мадмуазель Циммерман, к дьяволу Страсбург, к дьяволу все. К дьяволу ротозея де Бурмона, который тупо глядит по сторонам и мокнет под дождем, а мог бы орать, какого черта мы не выступаем! К дьяволу болтуна Филиппо, который молчит как рыба и с разинутым ртом пялится на командный пункт! Неужто они все оказались трусами? На той стороне три батальона вражеской пехоты; на этой — два эскадрона гусар. Две сотни всадников против полутора тысяч пехотинцев. И что же? Нет, они не спешат атаковать неприятеля все вместе, одним ударом. Сначала один эскадрон, потом еще два... Да еще два в резерве. А Восьмой легкий там, на другой стороне, под огнем, ждет, когда кавалерия придет ему на подмогу... Так какого черта мы не атакуем?

Но тут Берре и Домбровский повернулись к своим солдатам, Блондуа высоко поднял орла, трубач поднес свой горн к губам, и сердце юноши на миг остановилось, чтобы тут же забиться с новой силой.

— Да здравствует Император! — закричал он вне себя от восторга, и сотни голосов подхватили ликующий клич. Фредерик сжимал в руке верный клинок, Нуаро нес его на битву, а что еще нужно гусару, кроме сабли и коня?

VI

Атака

С холма поле выглядело так же, как издали, с дороги. Над ним висела густая пелена тумана; между небом и землей застыли столбы черного дыма. Приглядевшись, в тумане можно было увидеть очертания далеких гор. И лишь когда эскадрон достиг вершины, стало видно все поле в длину и ширину, приникший сбоку лес, охваченную пламенем деревню, над крышами которой рассыпались снопы искр, чтобы погаснуть прямо в воздухе или упасть на мокрую землю.

Один из батальонов Восьмого легкого стоял у самого подножия, и было совершенно ясно, что в битве ему пришлось туго. Пехотинцы только что отступили, оставляя на земле множество недвижных тел в синих мундирах. Измученные битвой солдаты перевязывали раны и чистили мушкеты. Это их Фредерик сопровождал в деревню, которую взяли в штыковой атаке и оставили после тяжелого боя. Усталые люди в почерневших от грязи и копоти мундирах равнодушно глядели по сторонам. После того как батальон отступил, центр боевых действий на этом фланге сместился вправо, где оставшиеся части полка, прижатые к израненным ядрами стенам разрушенной фермы, из последних сил сдерживали мощное наступление испанцев.

Горны обоих гусарских эскадронов в один голос сыграли построение к атаке. Ряды зеленых и коричневых мундиров были совсем близко, но туман почти не позволял их разглядеть. Увидев гусар, испанцы начали перестраиваться в каре, готовясь отразить удар кавалерии. Майор Берре, однако, тоже не терял времени даром; проследив перемещение врага и убедившись, что его эскадрон готов к атаке, он выхватил из ножен саблю и направил острие на ближайший неприятельский строй.

— Первый эскадрон Четвертого гусарского! Шагом!

Всадники, построенные в две шеренги по пятьдесят человек в каждой, начали спускаться с холма. Командир Второго эскадрона, точь-в-точь повторив движения Берре, указал своим гусарам на другое каре, подальше. Испанцы

Атака

стреляли, но пули и картечь тонули в вязкой глинистой почве, не достигая цели. Фредерик возглавлял первую шеренгу, слева от него скакал Филиппо, справа де Бурмон. Над головой Берре парил орел, штаб-трубач не отставал от командира ни на шаг. Домбровский занял свое место на другом краю шеренги; в случае ранения или смерти Берре ему предстояло принять командование эскадроном. Если бы из строя выбыл сам Домбровский, на его место должен был встать Маньи, затем Филиппо, и так далее, по старшинству, включая и самого Фредерика.

— Первый эскадрон!.. Рысью!

Кони ускоряли бег, всадники припали к лошадиным гривам. Фредерик, сжимавший в правой руке саблю, а в левой поводья, то и дело оглядывался по сторонам, боясь потерять свое место в строю. Окутанное ружейным дымом каре было все ближе; сплошная масса зеленых мундиров превратилась в плотные ряды солдат, ощетинившиеся штыками.

Оставив холмы позади, эскадроны поравнялись с отступавшим батальоном пехотинцев. Солдаты замахали киверами, приветствуя гусар, и тут же ринулись в атаку, перепрыгивая трупы своих товарищей.

Второй эскадрон повернул в сторону, чтобы атаковать строй коричневых мундиров в четырехстах шагах от цели, которую наметил для своих людей Берре. Рядом с воем пролетели два пушечных снаряда и взорвались, никому не причинив вреда. Ружейные выстрелы грохотали не переставая, но пули никого не задевали.

Берре поднял саблю, и трубач приложил к губам горн, подчиняясь его знаку. Эскадрон проскакал еще немного и, не ломая строя, резко остановился — так, что гусарам пришлось сдерживать рвущихся вперед коней. Перед ними, в каких-нибудь двухстах шагах, за рваной пеленой дыма ждали испанские солдаты: первый ряд, припав на одно колено, второй во весь рост, мушкеты целили в неподвижный пока эскадрон.

Берре взмахнул саблей. Повторяя сотни раз отрепетированный маневр, офицеры стремительно переместились во фланги, а солдаты расчехлили свои карабины.

— Первая рота!.. Приготовиться!

И тут их настиг вражеский огонь. Фредерик едва успел наклонить голову, чтобы не попасть под россыпь пуль. Испанцы стреляли снова и снова, и вот уже несколько гусаров вылетели из седел. Две лошади одновременно рухнули, беспомощно дергая ногами.

Только Берре не стал кланяться пулям.

— Первая рота!.. Огонь!

Атака

Храпели испуганные пальбой кони, дым от мушкетов не давал разглядеть неприятеля. Раненые гусары пытались отползти в конец строя, с трудом уворачиваясь от лошадиных копыт. Кому охота быть затоптанным?

Берре вынырнул из тумана с саблей подвысь, сверкая единственным глазом.

— Офицеры, по местам!.. Первый эскадрон Четвертого гусарского!.. Шагом!

Фредерик пришпорил Нуаро, с ожесточением пытаясь просунуть ладонь в петлю на эфесе сабли; руки дрожали, но не от страха. Подпоручик тяжело дышал и, чтобы успокоиться, крепко сжимал зубы; все, что творилось вокруг, казалось ему каким-то удивительным сном.

Вступая в дымовую завесу, шеренги гусар приблизились друг к другу почти вплотную.

— Первый эскадрон!.. — Берре совсем охрип. — Рысью!

Лошадиные копыта стучали в такт, словно животные подчинялись единому внутреннему ритму. Оставив саблю болтаться на правом запястье, Фредерик той же рукой выхватил из кобуры пистолет; в левой он сжимал поводья. Пороховой дым заползал в легкие. Фредерик, не помня себя, вдыхал этот пьянящий запах, все его чувства слились в одно почти животное упорство, в яростное желание настичь врага, который с каждой секундой становился все ближе.

Эскадрон миновал завесу порохового тумана, и снова стал виден строй испанцев. Он значительно поредел, много солдат в зеленых мундирах валялось теперь на земле. Стрелки из первой линии ловко перезаряжали свои мушкеты. Вторая линия застыла в ожидании. Фредерику показалось, что все до единого вражеские мушкеты направлены на него.

— Первый эскадрон!.. Галопом!

Испанцы снова открыли огонь. На этот раз неприятельские мушкеты были совсем рядом, в каких-то ста шагах. Одна пуля пролетела у самого плеча Фредерика. Лошадиное ржание и крики людей тонули в стуке копыт. Строй начал рассыпаться; тут и там отдельные всадники вырывались вперед. Пушечное ядро просвистело так близко, что Фредерик ощутил жар раскаленного металла. Светлогривый конь Филиппо, обезумев, летел вперед, но без седока. Майор Берре размахивал саблей, эскадрон скакал на врага, и до решающего столкновения оставались считаные минуты.

Конский топот, яростный галоп Нуаро, его нервный храп, разрывающий легкие запах пороха, капли пота на лошадиной шее, сжатые челюсти седока, дождевые потоки, стекавшие с коль-

Атака

бака на лоб и щеки... Дороги назад не было. Не было ничего, кроме яростной скачки и желания смести ненавистную стену зеленых мундиров и алых киверов, угрожавшую всадникам смертоносными штыками. Семьдесят шагов, пятьдесят. Испанские стрелки зажимали пули во рту, стреляли, перезаряжали, доставали новые пули.

Заиграл горн, и из сотни глоток рванулся дикий, леденящий душу вопль:

— Да здравствует Император!

Фредерик до крови царапал шпорами бока Нуаро, но конь и сам уже не чувствовал узды. Он летел стрелой, вытянув шею, ничего не видя перед собой, обезумев, как его всадник. Вокруг скакало все больше лошадей с пустыми седлами. Тридцать шагов.

Весь мир превратился в последний короткий отрезок между ним и рассыпавшими смертоносные искры мушкетами. Фредерик больше не прятался от пуль, бесстрашно выпрямив спину. Словно во сне, он видел, как второй ряд испанцев вразнобой поднимает мушкеты, как одни солдаты целятся, не прекращая заряжать, а другие не успевают вытащить из стволов шомпола. Десять шагов.

Офицер в зеленом мундире выкрикнул какой-то приказ, но его голос потонул в шуме битвы. Разрядив в испанца свой пистолет, Фредерик засунул его обратно в кобуру и, насколько возможно вытянувшись в седле, поднял саблю. Новый залп наполнил все вокруг вспышками, дымом, криками, кровью и грязью. Фредерик не понимал, ранили его или нет, он видел только, что Нуаро мчит его прямо на штыки. Врезавшись в неприятельский строй, юноша поднял коня на дыбы и, с размаху опустившись, с безумным криком нанес удар — яростный, слепой, смертоносный. Голова, рассеченная пополам до самой нижней челюсти, раненые в грязи, под копытами лошадей, кровь на лезвии сабли, хлюпанье человеческой плоти, в которую врезается клинок, безумный танец Нуаро, рубящий вслепую гусар, окровавленное лицо, испуганное ржание лошадей, потерявших всадников, крики, звон клинков, выстрелы, вспышки, дым, стоны, лошадиные ноги в распоротых животах, внутренности, намотанные на копыта, резать, колоть, кусать, вопить.

Эскадрон разметал испанцев, но инстинкт гнал коней и всадников дальше. Опомнившись, Фредерик обнаружил, что правая рука намертво сжала саблю, а вражеские позиции остались позади. Трубач сыграл построение для новой атаки, и гусары возвращались назад, задерживаясь, чтобы проверить сбрую коней после бешеной скачки. Фредерик выпустил саблю, чтобы

Атака

она болталась на запястье, и с силой натянул повод, так что Нуаро почти до земли изогнул шею. Сердце рвалось из груди, затылок онемел от адской боли, кровь неумолимо стучала в висках, и все же он снова пришпорил коня и поскакал к орлу.

Правая рука майора Берре безвольно висела, перебитая пулей. Он был очень бледен, но оставался в седле, держа саблю в левой руке, а поводья зубами. Единственный глаз ротмистра горел, будто раскаленный уголек. Уцелевший Домбровский, невозмутимый, словно это была не атака, а учебные маневры, подъехал к своему командиру, чтобы принять командование.

— Первый эскадрон Четвертого гусарского!.. Вперед! В атаку!

Прежде чем эскадрон вновь ринулся в атаку, Фредерик успел найти глазами де Бурмона и убедиться, что его друг жив, только потерял в бою шапку и разодрал доломан. Кони вновь ускоряли бег, копыта звучали в такт, и гусары плотнее сжимали ряды, летя на неприятельский строй. Дождь совсем разошелся, и кони вязли в грязи, обдавая всадников, скакавших следом, черными брызгами. Фредерик, жестоко пришпоривая Нуаро, занял свое место слева, во главе второй линии. Юноша с удивлением заметил, что рядом нет ни одного офицера, и тут же вспомнил, как оглушенный взрывом конь Филиппо летел куда-то без седока.

Перед испанским строем образовалась целая гора из человеческих и конских трупов. Ряды врагов сильно поредели, и все же те продолжали стрелять. Конь подпоручика Блондуа вдруг дернул головой, сделал несколько шагов, припадая на передние ноги, и сбросил седока. От эскадрона тотчас отделился светловолосый гусар с непокрытой головой и выхватил штандарт из рук знаменосца, прежде чем тот рухнул на землю. Это был де Бурмон. Ощутив внезапный холод в груди, Фредерик что было сил закричал:

— Да здравствует Император! — и его клич с готовностью подхватил весь эскадрон.

До неприятеля оставалось не больше пятидесяти шагов, но густой туман позволял разглядеть лишь неясные очертания неприятельского строя. Что-то горячее стремительно скользнуло по щеке Фредерика, зазвенел медный ремень кольбака. Нуаро перепрыгнул мертвого коня, придавившего своего седока. Туман прошивали россыпи искр. Юноша прижался к шее Нуаро, чтобы спастись от свинцового дождя, но, спустя несколько мгновений, снова выпрямился, невредимый, чувствуя лишь мучительную сухость во рту и дрожь во всем теле. Сжав зубы и просунув ноги поглубже в стремена, он принял-

Атака

ся рубить направо и налево, отбиваясь от алчущих его крови штыков.

Он дрался за собственную жизнь. Дрался со всей силой, со всей энергией своих девятнадцати лет, и правая рука его вскоре утратила чувствительность, стала будто чужая. Он нападал и отступал, колол и наносил удары, рубил руки, пытавшиеся стащить его с седла, продирался сквозь лабиринт из грязи, свинца, стали, крови и пороха. Он кричал от страха и возбуждения, пока горло не превратилось в сплошную рану. И снова, очнувшись, обнаружил себя вдалеке от сражения, в чистом поле, под проливным дождем, среди лошадей, потерявших всадников. Фредерик ощупал себя и почувствовал острый всплеск радости, увидев, что остался цел, без единой царапины. Только на правой щеке была кровь.

Медный голос горна снова звал эскадрон под орла. Подтянув поводья, Фредерик усмирил коня. Вокруг бродили осиротевшие лошади, раненые, завидев юношу, тянули к нему руки, прося о помощи. Фредерик поднес к глазам саблю, которую заточил всего несколько часов назад: теперь клинок покрылся зазубринами, на лезвии запеклась кровь, налипли чьи-то волосы и кусочки мозга. Молодой человек с отвращением вытер саблю о собственные штаны и бросился догонять товарищей.

Майора Берре нигде не было видно. Де Бурмон с глубокой раной на бедре и ссадиной на лбу высоко поднял штандарт; его глаза горели сквозь покрывавшую лицо кровавую маску, и, увидев Фредерика, он не узнал его. Дождь не прекращался. Ротмистр Домбровский, подтянутый и невозмутимый, будто на параде, ждал, когда эскадрон соберется вновь.

— Первый эскадрон Четвертого гусарского!.. — Острие его клинка указывало на поредевший, но не дрогнувший строй испанцев. — Да здравствует Император!.. Вперед!

Остатки эскадрона подхватили боевой клич, сомкнули ряды и в третий раз бросились на врага. Фредерик больше не владел собой; он не чувствовал ничего, кроме смертельной усталости и горького разочарования от того, что два мощных удара лучшей в мире легкой кавалерии не сумели разметать ненавистное зеленое каре. С ними нужно было покончить, сломить их, перебить, снести им головы, втоптать копытами в жидкую глину. Ублюдков в зеленых мундирах нужно было во что бы то ни стало стереть с лица земли, и сделать это выпало ему, Фредерику Глюнтцу из Страсбурга. Ему и никому больше, черт возьми!

В сотый раз пришпоривая Нуаро, Фредерик бросил взгляд на ряды товарищей. Среди них не

Атака

было Маньи. И Лаффона тоже не было. Первый эскадрон потерял половину своих офицеров. Сражавшаяся вместе с гусарами рота Восьмого легкого смогла почти вплотную приблизиться к испанцам и теперь безжалостно их обстреливала. Вечерело, над горами уже сгустилась тьма, и в сумерках ярче вспыхивали ружейные огни.

Снова горн, снова ритмичный конский топот, снова Фредерик сжимал саблю и нещадно гнал коня. Усталые животные спотыкались в грязи, вязли в глубоких лужах, но эскадрону удалось еще раз набрать нужную скорость. Вновь расстояние между противниками стремительно сокращалось, вновь были выстрелы, крики, и казалось, что этот кошмар станет повторяться до конца времен.

Впереди развевалось знамя. Белое знамя с вышитыми золотом письменами. Испанское знамя, которое эта жалкая горстка людей защищала так отчаянно, словно от него зависело их собственное спасение. Вот она, слава. Нужно только доскакать, убить защитников знамени, завладеть им и поднять над головой с торжествующим криком. Это так просто. Милостивый боже, черт побери, как же это просто. Фредерик не сумел сдержать торжествующего крика. От неприятельского строя почти ничего не осталось; лишь кучка измученных людей еще держалась на ногах, сжимая штыки в тщетной надежде остановить лавину всадников. Один из них бросился Фредерику наперерез, стараясь ударить прикладом. Сабля поднималась и опускалась трижды, прежде чем залитый кровью враг упал под ноги Нуаро.

Знамя держал седоусый унтер-офицер, его окружили пять солдат и офицеров и отчаянно, словно волки, которые спасают волчат, отбивались от покушавшихся на святыню гусар. Старый испанец, раненный в голову и обе руки, с трудом удерживал тяжелое древко. Высокий худой юноша с галунами поручика с остервенением отражал удары, предназначавшиеся слабеющему знаменосцу. Когда старик пал, молодой офицер подхватил знамя и с воплем бросился на французов. На ногах оставались лишь двое его товарищей.

— Пощады нет! — орали гусары, с каждым мгновением теснее окружая знамя. Но испанцы не собирались просить пощады. Один рухнул с рассеченной головой, другого сразила пуля. Старый знаменосец истекал кровью, ему нанесли не меньше дюжины ран. Фредерик сумел несколько раз ударить испанца в спину, и в это время другой гусар выхватил древко у него из рук. Вместе со знаменем умирающий утратил и волю к жизни. Уронив саблю, он упал на коле-

Атака

ни, и французский солдат пронзил ему горло острием клинка.

Вражеского строя больше не было. Французская пехота пошла в штыковую атаку, громкими криками славя Императора, а уцелевшие испанцы побросали ружья и бросились бежать, надеясь укрыться в лесу.

Обезумевший горн требовал крови: никого не щадить. Сопротивление испанцев привело Домбровского в ярость, он велел преподать неприятелю урок. Охваченные эйфорией гусары преследовали бегущих с поля боя людей, которые тонули в грязи, отчаянно пытаясь спастись. Впереди скакал Фредерик, с налитыми кровью глазами, размахивая саблей, готовый сделать все, чтобы ни один враг не ушел живым.

Со стороны погоня напоминала игру в салочки. Гусары настигали испанцев и убивали по одному, бросая на земле окровавленные, изуродованные тела. Нуаро нес Фредерика прямо на безоружного солдата с непокрытой головой, который бежал к лесу не оборачиваясь, словно решив не замечать скакавшую следом смерть.

Но спасения не было. Фредерик настиг испанца, поднял саблю и с размаху опустил на голову беглеца, расколов ее на две половины, словно арбуз. Развернувшись, он бросил взгляд назад и увидел на земле неподвижное тело с раскинутыми руками и ногами. Мимо с радостным кличем проскакали двое гусар. Один из них нес на острие сабли окровавленный испанский кивер.

Фредерик присоединился к ним. Гусары скакали наперегонки, и юноша отчаянно пришпоривал Нуаро, надеясь выиграть. Испанцы то и дело поскальзывались на мокрой земле, было видно, что им не убежать. Один, осознав тщетность попыток спастись, резко остановился и, гордо вскинув голову, повернулся лицом к врагам. Не двигаясь с места, он дождался французов и молча встретил смерть.

Испанцев настигали одного за другим. Кое-кому почти удалось добежать до леса, но гусары отрезали им путь. Сигнал к построению заставил Фредерика оборвать бешеную скачку. Тут он посмотрел влево и увидел их.

Они появились из леса сомкнутым строем. Сотня всадников в зеленых кирасах и черных киверах, расшитых золотом. Каждый нес у правого стремени длинную пику, украшенную маленьким красным флажком. Несколько мгновений они оставались неподвижными, оглядывая поле боя, на котором полегло столько их соплеменников. Потом заиграл трубач, звук горна подхватили воинственные крики, и всадники, опус-

Атака

тив пики, словно демоны мщения, галопом по-
скакали на разрозненный гусарский эскадрон.

Кровь в жилах Фредерика будто сковало
льдом, крик ужаса застрял в горле. Остальные
гусары в панике бросились кто куда.

Напрасно французы метались по полю, ища
спасения. Что могли измученные многократны-
ми атаками животные против сытых и бодрых
испанских лошадей, что могли сабли против
пик?.. Удар был стремительным и страшным. Уланы бросались на разрозненные группы гусар,
нанизывая на свои пики людей и коней. Французы пытались стрелять во всадников, летящих по
полю, будто смертоносный гигантский серп,
сметающий все на своем пути. Окончательно
растерявшийся Фредерик тупо смотрел, как в
сердце эскадрона вонзился лес пик, как пал орли-
ный штандарт. Потом началась погоня. Увидев,
что преследователи и беглецы поменялись мес-
тами, Фредерик словно очнулся от сна; желудок
свело холодом, по телу пробежала дрожь. Припав
к лошадиной гриве, он ударил коленями в бока
Нуаро и понесся через поле, не разбирая дороги,
подгоняемый страхом и надеждой на спасение.

Они догоняли. Нуаро выбивался из сил, он
весь покрылся пеной, черный круп блестел от

пота и дождя. Лошадь гусара, скакавшего впереди, увязла передними ногами в глубокой луже и, резко дернувшись, сбросила своего седока. Солдат тут же вскочил на ноги, не выпуская из рук оружия. Фредерик хотел было помочь ему взобраться на своего коня, но передумал; бедняга Нуаро с трудом нес его одного. Проводив его взглядом, гусар выпустил в подступающих улан последнюю пулю и в отчаянии отбросил саблю, неспособную защитить от длинной испанской пики.

Фредерику было некогда ждать финала драмы: Нуаро выбивался из сил. Конь спотыкался, поминутно припадая на передние ноги. Галоп сменился слабенькой рысью. Любое движение, любой вздох стоили животному огромных усилий. Испанцы приближались, Фредерик слышал топот их лошадей и крики, которыми безжалостные охотники подбадривали друг друга.

Вот что такое паника. Дикий, чудовищный, унизительный страх. Фредерик судорожно оглядывался по сторонам в поисках укрытия. По спине юноши то и дело пробегала дрожь, будто он каждую минуту ждал смертоносного удара пики. Хотелось жить. Выжить любой ценой, израненным, слепым, калекой... Фредерик хватался за спасение всеми силами, он ни за что не хотел умирать здесь, в грязи, под мутным, темнею-

Атака

щим небом, в этом про́клятом Богом диком
краю, куда ему вовсе не надо было соваться.
Умирать одиноким, загнанным, точно дикий
зверь, повиснув на испанской пике, как чудовищный охотничий трофей.

Нуаро все же дотянул до опушки леса, и теперь Фредерика хлестали по лицу мокрые ветки.
Благородное животное, до последнего вздоха
верное хозяину, постаралось унести его подальше в чащу и лишь тогда, обливаясь кровью, рух-
нуло наземь с хриплым предсмертным ржанием.

Фредерик сильно разбил левое плечо, бедро
и бок. Оглушенный, он долго лежал ничком, утк-
нувшись лицом в мокрые листья, и не сразу услышал отчетливый конский топот. Юноша со-
дрогнулся, вспомнив о пиках. Надо бежать, спря-
таться где-нибудь, пока испанцы до него не
добрались.

Нуаро почти не двигался, он лишь изредка
тихонько ржал, дергал головой и приоткрывал
мутные, умирающие глаза. Фредерик попытался освободить придавленную конем ногу. Враги
были рядом. Кусая губы, чтобы не закричать от
страха, юноша уперся обеими руками в тело коня и собрал все силы, стараясь освободиться.

Лес наполнился криками и выстрелами. На
запястье, мешая двигаться, до сих пор висела
сабля, и Фредерик снял ее дрожащими руками.

Потом расстегнул кобуру и вытащил пистолет, из которого так ни разу и не выстрелил. Юноша снова попытался встать — из последних сил, чувствуя, что вот-вот потеряет сознание. В тот момент, когда ему наконец удалось вытащить ногу из-под умирающего коня, среди стволов возник силуэт всадника в зеленом мундире, с пикой наперевес направлявшегося прямо к Фредерику.

Юноша в ужасе обернулся, рассчитывая укрыться за каким-нибудь деревом. По щекам с налипшими мокрыми травинками текли слезы, но он все же поднял пистолет двумя руками и направил его прямо в голову испанцу. Заметив оружие, всадник поднял коня на дыбы. Вспышка ослепила Фредерика, и пистолет выпал у него из рук. Конь противника дико заржал и шарахнулся назад. Увидев лошадиные ноги, которые нелепо дергались в воздухе, Фредерик понял, что, падая, животное увлекло увлек за собой седока. Значит, он промахнулся и попал в животное вместо всадника. Задыхаясь от запаха пороха, Фредерик горько застонал, стремясь вылить в стенаниях всю свою досаду, весь страх, всю жажду жизни. Он кое-как поднялся на ноги, перепрыгнул через Нуаро, перескочил ноги упавшей лошади и бросился на испанца, который пытался встать, наполовину вынув саблю из ножен. Фредерик ударил своего врага по лицу с такой силой, что у того потекла кровь из носа и ушей. Совсем обезумев, выкрикивая глухие проклятья, он целился ногтями в глаза противнику, кусал руку, которая старалась выхватить саблю, и чувствовал на собственных зубах вкус чужой крови. Оглушенный падением и ударами, испанец пытался защитить лицо, рыча, как раненый зверь. Враги катались по размокшей земле под струями дождевой воды, стекавшей с ветвей. С яростью отчаяния Фредерик вцепился обеими руками в саблю испанца и стал дюйм за дюймом приближать острие к горлу своего врага. Он нажимал на саблю изо всех сил, стискивая зубы так, что хрустели челюсти. Слепые глаза улана вылезали из орбит под разбитыми, окровавленными бровями. Собрав последние силы, испанец подобрал камень и ударил Фредерика по губам. Десны треснули, и рот юноши наполнился обломками зубов. Выплюнув кровь и выбитые зубы, нечеловеческим усилием, издав звериный, из самого нутра идущий рык, он все же сумел вонзить острый край клинка в горло врагу и водил его из стороны в сторону, пока в лицо ему не хлынул алый фонтан, и испанец бессильно не уронил руки.

Фредерик рухнул ничком на тело поверженного противника, обхватив его руками, и долго лежал — не в силах пошевелиться, не чувствуя, что с изорванных губ срываются глухие стоны. Юноша был уверен, что умирает, холод смерти уже сковал его тело, а губы болели так, словно с них содрали кожу. Не было никаких мыслей; глаза заливал кровавый туман. Фредерик молил Бога послать ему сон, беспамятство; но жгучая боль в искореженном рту все не затихала.

Тело испанца совсем окоченело. Фредерик перекатился на спину. Он открыл глаза и увидел над собой чернильное небо в обрамлении черных ветвей. Наступила ночь.

Издалека все еще доносился шум битвы. Фредерик заставил себя сесть, несмотря на боль. Он огляделся, не зная, куда направиться. Желудок сводило от голода, и юноша постарался дотянуться до седельной сумки убитого испанца. Она была пуста, зато одеревеневшие руки Фредерика наткнулись на саблю. Рот горел так, словно его набили раскаленными угольями. Юноша встал на ноги и, шатаясь из стороны в сторону, побрел среди деревьев, по колено проваливаясь в жидкую грязь. Ему было все равно, куда идти; лишь бы подальше оттуда.

VII
Слава

Фредерик углублялся в лес, не разбирая дороги. Время от времени он останавливался, привалившись к древесному стволу, и всхлипывал от боли, зажимая ладонью разбитый рот. Дождь перестал, но с ветвей то и дело падали крупные капли. Судя по вспышкам, мелькавшим между стволами, битва еще не закончилась. Вдалеке грохотали выстрелы, стволы мушкетов рассыпали искры; шум боя напоминал отдаленную, стихающую грозу.

Иногда выстрелы раздавались совсем рядом, заставляя Фредерика дрожать сильнее. Понять, где французы, было невозможно; чтобы найти своих, надо было дождаться рассвета. Юноша не мог унять дрожь. Страх перед испанскими пиками превратил его в загнанного зверя. Он должен спастись. Протянуть до утра, выжить.

Фредерик споткнулся о сломанную ветку и упал на четвереньки. С трудом поднявшись, грязный и растрепанный, он с тревогой огляделся по сторонам. За каждым деревом, в каждой неясной тени мерещился враг.

Юношу не отпускал страшный, смертельный холод. Он осторожно ощупал языком израненные десны: слева зубов почти не осталось, только острые, воспаленные осколки. Боль грызла челюсти, царапала горло, давила на виски; Фредерик понимал, что, если не найти убежища, к утру рана и холод доконают его.

Среди деревьев мелькнул свет. Это могли быть французы, и Фредерик пошел на него, моля Бога, чтобы не попасться испанскому патрулю. Чем ближе он подходил, тем сильнее разгоралось зарево; скорее всего, это был пожар. Фредерик двигался очень осторожно, поминутно озираясь.

На лесной прогалине горел дом. Крыша вовсю полыхала, несмотря на недавний дождь, разлетались искры, и огонь уже перекинулся на соседние деревья. Сырые ветки лопались с характерным треском.

Поблизости расположилась небольшая группа людей. Фредерик смог разглядеть очертания

Слава

киверов и тускло блестевшие в зареве пожара стволы ружей... Юноша не мог понять, испанцы перед ним или французы, и потому прятался в кустах, сжимая рукоять сабли. До него долетало лошадиное ржание и обрывки фраз на языке, который казался незнакомым.

Подобраться поближе Фредерик не решался, боялся привлечь к себе внимание. Французы могли пристрелить его, не разглядев в темноте покрытого грязью мундира. И потому он просто ждал, не в силах принять решение. Оказаться в руках испанцев означало верную смерть, и совсем не обязательно — быструю и легкую.

Он очень устал. Устал и постарел. Состарился не меньше чем на пятьдесят лет. События прошедшего дня вставали перед глазами, и казалось, что больше в его жизни ничего не было. Своды палатки, блики свечи на лезвии клинка, Мишель де Бурмон со своей трубкой... Мишель. Не спасли его ни молодость, ни красота, ни отвага. Орел пал под вражескими пиками, горн захлебнулся в агонии, не допев до конца последний, бесполезный сигнал, и только потерявшие всадников кони неслись под дождем неизвестно куда. Что ж, де Бурмону посчастливилось умереть в бою, как Филиппо, Маньи, Лаффону, как всем остальным. Они не скрывались в чаще, не дрожали от страха, не ждали, что смерть предательски подберется сзади; грязная, подлая, недостойная гусара смерть. Фредерик горько усмехнулся: стоило пройти такой долгий и трудный путь, чтобы сдохнуть, ползая на брюхе, как собака.

Зато он до сих пор жив. Эта мысль пронзила Фредерика, заставив его улыбнуться окровавленными губами. Он жив, сердце бьется, голова раскалывается от боли, но он ведь чувствует эту боль. Остальные холодны и неподвижны, валяются посреди поля и вот-вот начнут разлагаться... И сапоги с них наверняка уже сняли.

Война. Как она не похожа на уроки в Военной школе, на учебные маневры, на величественные парады в блистательных столицах!.. Если там, над укутанной пороховым дымом долиной смерти, все же есть Бог, зачем он собрал всех этих людей на маленьком клочке земли и позволил им превратить его в рукотворный ад?

Слава. Дерьмо ваша слава, дерьмо ваш эскадрон. Дерьмо ваш орел, за который погиб де Бурмон и который, должно быть, стал трофеем испанских улан. Проклята будь ваша слава, все ваши знамена и вопли «да здравствует Император!». Он, Фредерик Глюнтц из Страсбурга, дрался с врагами, убивал во имя славы и Франции, а теперь прячется в страшном сумрачном лесу, страдая от голода, холода и боли, брошенный, оди-

Слава

нокий. Не Бонапарт, черт бы его побрал. А он. Именно *он*.

Жар стучал в висках. Где ты, Клэр Циммерман, златоволосая красавица в голубом платье? Если бы ты видела своего храброго гусара!.. Где ты, Вальтер Глюнтц, глава уважаемого торгового дома, который так гордился сыном-офицером?.. Если бы ты мог видеть меня сейчас!..

К дьяволу. К дьяволу вашу романтику и благородную войну. К дьяволу героев и всю императорскую легкую кавалерию. Все это ложь — на самом деле есть только тьма, колючие ветки и зарево пожара.

Живот Фредерика скрутил мучительный спазм. Он торопливо расстегнул штаны и присел на корточки, стараясь, чтобы мерзкая жижа не запачкала сапоги, боясь, что испанцы застигнут его в таком положении. Грязь, кровь и дерьмо. Вот что такое война, Господи, только это, и больше ничего. Только это.

Солдаты поднялись на ноги, собираясь уходить. Они покидали ярко освещенную поляну, а Фредерик так и не выяснил, кто они. Он не двигался с места, напряженно прислушиваясь к долетавшему до него неясному шуму и обрывкам фраз.

Постепенно голоса стихли, и теперь слышался только треск горящих стволов. Оставаться на поляне было небезопасно: яркий свет мог выдать его. И все же огонь давал тепло, а Фредерик умирал от холода. Привычно сжав саблю, он стал пробираться поближе к горящему дому, вздрагивая всякий раз, когда под ногами ломалась ветка.

На поляне никого не было. Вернее, почти никого. При свете плясавшего между деревьями пламени Фредерик разглядел на земле два трупа. Юноша с величайшей осторожностью приблизился к ним; на обоих были синие мундиры и белые штаны французского линейного полка. Трупы успели окоченеть, скорее всего, они пролежали здесь не один час. Лежавшего на спине мертвеца с широко открытым ртом искромсали штыками. Другой лежал на боку, свернувшись, словно зародыш в утробе. Его застрелили.

Кто-то забрал у них оружие и обчистил ранцы. Один валялся неподалеку, около кучи сырых головешек, рядом рассыпалось содержимое: пара сорочек, сапоги с худыми подошвами, разбитая трубка... Фредерик поискал что-нибудь съестное. Нашел на дне ранца кусок прогорклого сала и стал жадно набивать рот. Десны отозвались невыносимой болью. Фредерик языком протолкнул сало к правой щеке, но так было еще хуже. Он не мог жевать. Внезапно накатила тошнота, и он упал на колени, сплевывая

Слава

горькую желчь. Фредерик долго не разгибался, пока ему не стало немного легче. Тогда он прополоскал рот водой из лужи, тщетно пытаясь заглушить боль; потом встал на ноги и побрел к огню, опираясь на обломки кирпичной ограды. От огня по всему телу распространилось такое благодатное, живительное тепло, что на глаза невольно навернулись слезы. Фредерик стоял так, пока окончательно не согрелся.

Дольше оставаться на поляне было нельзя. Здесь слишком светло. Перед глазами Фредерика вставали злобные смуглые лица крестьян, партизан, солдат... Разве в Испании, будь она проклята, это не одно и то же? Небывалым усилием воли юноша заставил себя отойти от огня. Остатки здравого смысла подсказывали, что оставаться здесь — форменное самоубийство, но тело не желало подчиняться разуму. Фредерик остановился, в нерешительности глядя на пламя пожара, и тут же обернулся назад, к неприветливой лесной чаще.

Он слишком устал. О том, чтобы снова идти в темноту, раздвигая тяжелые ветви, не могло быть и речи. Фредерик заметил собственную тень, лежавшую на освещенной пожаром траве, четкую и очень длинную. Скорее всего, ему все же предстоит умереть. Если он останется здесь, то умрет не от холода, это уж точно. Оглядевшись, он заметил надежное укрытие под кирпичной стеной, в пяти шагах от очага пожара. Фредерик забрался туда, зажав саблю между ног, положил голову на руку и провалился в сон.

Во сне он скакал по пустынным полям, мимо горящих хижин, в ровном строю скелетов в гусарских мундирах, и его страшные попутчики время от времени поворачивали свои черепа, чтобы молча упереть в него пустые глазницы. Домбровский, Филиппо, де Бурмон... Все они были там.

Фредерика разбудил утренний холод. Пожар давно погас, и от дома остались лишь почерневший остов да куча пепла. На востоке небо уже прояснялось, а в вышине, среди ветвей, еще сверкали звезды. Дождя не было. Лес тонул во мгле, но в ней начинали проступать неясные очертания стволов.

Шум битвы стих; вокруг царило безмолвие. Фредерик встал, разминая затекшие мышцы. Во рту по-прежнему ныло; теперь болела и вся левая сторона лица, а ухо полностью оглохло. В нем слышался лишь далекий равномерный шум, исходящий, должно быть, из самого мозга. Левый глаз почти не открывался — он полностью затек.

Слава

Фредерик решил все же разобраться, где он. Солнце вставало на востоке. Кажется, лес находился к западу от поля боя, он проезжал здесь накануне, когда вел Восьмой легкий. Юноша попробовал подсчитать, сколько французских частей располагалось к юго-востоку. За ночь все могло измениться, но узнать об этом было не от кого.

Интересно, кто же победил.

Фредерик решил идти навстречу солнцу. Так он сможет добраться до опушки, а там оглядится и вспомнит, где вчера стояли французы. Фредерик не слишком полагался на собственные силы: желудок крутило и сжимало, голова и рот горели. И все же он тронулся сквозь чащу, осторожно перешагивая поваленные деревья, но время от времени садился передохнуть прямо на влажную землю. Так он прошагал около часа. Неяркие утренние лучи постепенно разогнали тьму, лес обрел краски и четкие контуры. Наклонившись, Фредерик мог разглядеть собственную грудь, покрытую засохшей грязью с налипшей палой листвой; доломан был изодран, половина пуговиц потерялась. Острые ветки расцарапали юноше руки, под ногти забилась грязь. Взглянув на саблю, Фредерик с изумлением обнаружил, что она чужая. Юноша вспомнил, как поверженный испанец пытался выхватить из ножен свой клинок. Вспомнил и принялся хохотать, как сумасшедший. Охотник стал добычей охотника, на которого охотился сам. Какая нелепость. Злая насмешка войны.

Фредерик вышел на маленькую поляну, посреди которой рос огромный дуб. Под ним валялся мертвый конь с характерным для гусар седлом из бараньей кожи. Возможно, и всадник был где-то рядом, живой или мертвый. Разглядев в траве неподвижное тело, Фредерик приблизился к нему, едва дыша от волнения. Это был не француз. Местный крестьянин в кожаных гетрах и серой куртке. Он лежал ничком, вытянув руки, а рядом валялся мушкет. Фредерик перевернул покойника, откинул ему волосы со лба, чтобы взглянуть ему в лицо. Незнакомец зарос трехдневной щетиной, его кожа стала мертвенно-желтоватой. В этом не было ничего удивительного, если принять во внимание широкую рану на груди, из которой натекла лужица крови. Вне всякого сомнения, это был крестьянин или партизан. Скорее всего, он умер совсем недавно, потому что его члены еще не успели налиться каменной твердостью, свойственной трупам.

— Не слишком приятное зрелище, — сказал кто-то по-французски за спиной у Фредерика.

Слава

Юноша вздрогнул от неожиданности и резко обернулся, подхватив с земли саблю. В пяти шагах от него, привалившись спиной к стволу дуба, сидел гусар. Синий доломан прикрывал его живот и колени. На вид гусару было лет сорок, у него были густые усы, длинная косичка лежала на плече. Глаза у него были серые, как пепел, а лицо совсем белое. По левую руку от гусара лежал алый кивер, по правую обнаженный клинок, а сам он держал пистолет, направив его на Фредерика.

Потрясенный подпоручик попятился назад и рухнул на колени около мертвого испанца.

— Четвертый гусарский... — пробормотал он еле слышно. — Первый эскадрон.

Гусар натужно захохотал, и по лицу его пробежала гримаса боли. На мгновение он зажмурился, потом открыл глаза и вновь рассмеялся, опуская пистолет.

— Прошу прощения. Четвертый гусарский, Первый эскадрон... Я сам из Первого эскадрона, приятель. Точнее, *был* из Первого эскадрона. Прошу покорно меня простить. Во имя Пресвятой Богородицы, так ее и растак, прошу прощения... Я же не виноват, что твой мундир заляпан грязью. Мы знакомы? Хотя с такой мордой, больше похожей на бурдюк с вином, тебя и родная матушка не узнает. Кто это тебя так отделал?.. Хотя нет, скажи сначала, как тебя зовут, ну же, говори, не стой как истукан.

Фредерик вонзил саблю в землю у правой ноги.

— Глюнтц. Подпоручик Глюнтц, первая рота.

— Глюнтц? Тот молоденький подпоручик? — Гусар недоверчиво покачал головой, будто сомневаясь, что они говорят об одном и том же человеке. — Клянусь гвоздями Христовыми, я бы ни за что вас не признал... Что же с вами приключилось?

— За мной погнался улан. Мы потеряли коней и вступили в схватку.

— Понятно... Значит, это улан вас так разукрасил. Очень жаль. Помнится, раньше вы были вполне привлекательным юношей... Что ж, господин подпоручик, прошу извинить, что не встаю поприветствовать вас по всей форме, здоровье не позволяет... Мое имя Журдан. Арман Журдан. Двадцать пять лет службы, вторая рота.

— Как вы здесь очутились?

— Так же, как вы, полагаю. Скакал во весь опор, что грешник у черта на закорках, а за мной гнались человек пять зеленых, расположенных воткнуть свои пики мне в зад... В лесу я от них оторвался. Всю ночь скакал, спасибо Фалю, славный был конь, вот он, слева от вас, бедное животное. Его убил этот сукин сын, которого вы разглядывали.

Слава

Фредерик перевел взгляд на труп испанца.

— Кажется, это партизан... Это вы его застрелили?

— А кто же еще? Около часа назад. Мы с Фалю хотели вернуться к нашим, если хоть кто-нибудь еще остался, а этот ублюдок бросился на нас из кустов и начал палить. Моему бедному коню сильнее досталось... — Он с грустью взглянул на мертвое животное. — Славный был конь, настоящий друг.

— А что стало с эскадроном?

Гусар пожал плечами:

— Я знаю не больше вашего. Вряд ли он теперь существует. Эти уланы здорово нас провели: подпустили поближе и ударили с тыла. Со мной были четверо товарищей: Жан-Поль, Дидье, еще один, которого я не знал, и вахмистр, такой маленький и белобрысый, Шабан... Их всех перебили, одного за другим. Не дали ни малейшего шанса. С нашими заморенными лошадьми, после трех атак, это было не сложнее, чем пострелять оленей, привязанных к дереву.

Фредерик посмотрел на небо. В просветах между древесными кронами разливалась чистая синева.

— Интересно, кто победил... — сказал он задумчиво.

— Кто знает? — усмехнулся гусар. — Уж точно, господин подпоручик, не вы и не я.

— Вы ранены?

Несколько мгновений собеседник пытливо разглядывал Фредерика, а потом саркастически улыбнулся.

— «Ранен» — не совсем точное слово, — сказал он, будто усмехаясь какой-то шутке, понятной ему одному. — Вы видели мушкет этой гадины, — он указал стволом своего пистолета. — Видели штык в два дюйма шириной? Что ж, прежде чем отправиться в пекло, выродок попа и шлюхи нашел время им продырявить мне кишки.

Гусар откинул доломан, закрывавший живот, и Фредерик побелел от ужаса. Штык вошел в правый бок чуть повыше бедра, распорол внутренности и торчал из живота. В жуткой ране, полузакрытой сгустками крови, виднелись кости, жилы и порванные нервы. Гусар кое-как перетянул бедро ремнем, надеясь остановить кровотечение.

— Сами видите, господин подпоручик, — сказал он, вновь прикрывая рану доломаном. — Дело мое труба. К счастью, мне не так уж больно; тело как будто спит. А смешнее всего то, что никаких важных частей штык не задел; похоже, я умираю от простой кровопотери.

Ветеран был холоден и спокоен — так спокоен, что Фредерику стало страшно.

— Вам нельзя оставаться здесь, — заявил он, не слишком хорошо понимая, куда и как сможет доставить раненого. — Я выведу вас отсюда, найду помощь. Это... Это просто какой-то кошмар.

Гусар пожал плечами. Собственная участь нисколько его не волновала.

— Вы ничего не сможете сделать. Здесь, под деревом, мне по крайней мере удобно.

— Вас, наверное, можно вылечить...

— Не говорите глупостей, подпоручик. Я здесь торчу целый час, вокруг сплошная грязь, так что заражение гарантировано. За двадцать пять лет я повидал достаточно, чтобы не тешить себя пустыми надеждами... На этот раз старине Арману выпали скверные карты.

— Если я не приведу подмогу, вы точно умрете.

— С подмогой или без нее, а я, почитай, уже покойник. Мне вовсе не улыбается брести неведомо куда, волоча за собой кишки. Здесь тихо и спокойно. А вы лучше позаботьтесь о себе.

Оба надолго замолчали. Фредерик сидел на земле, обхватив колени. Гусар закрыл глаза и, казалось, забыл о существовании юноши. Наконец Фредерик встал на ноги, поднял саблю и подошел к раненому.

— Я могу что-нибудь для вас сделать, прежде чем уйду?

Гусар медленно открыл глаза и удивленно посмотрел на Фредерика, будто не ожидал, что он все еще здесь.

— Думаю, что да, — ответил он, приподняв свой пистолет. — Я потратил все пули на эту сволочь, а мне хотелось бы иметь хоть одну на случай, если сюда кто-нибудь забредет. Вы не могли бы зарядить его? Все, что нужно, в моей седельной сумке.

Фредерик взял пистолет за длинный ствол и направился к мертвой лошади. Он быстро разыскал пороховницу и мешочек с пулями. Зарядив оружие с помощью шомпола, юноша вернул пистолет раненому и заодно отдал ему пороховницу и пули.

Гусар бережно взял оружие, взвесил его на руке и попробовал прицелиться.

— Что-нибудь еще? — спросил Фредерик.

Раненый снова посмотрел на молодого человека. Теперь в его глазах была горькая насмешка.

— В Беарне есть деревушка, где живет одна славная женщина, а муж у этой женщины солдат и он сейчас в Испании, — сообщил гусар, и Фредерику показалось, что голос слегка потеплел — но лишь на миг, не больше. — Возможно, вы, гос-

Слава

подин подпоручик, слышали об этой деревне или даже проезжали мимо... Не важно. По правде говоря, вряд ли вы надолго меня переживете. Что-то я сильно сомневаюсь, что вам предстоит вернуться во Францию.

Фредерик с изумлением глядел на ветерана.

— Как вы сказали?

Гусар закрыл глаза и вновь облокотился на ствол дуба.

— Убирайтесь, — приказал он чуть слышно, но твердо. — Оставьте меня в покое.

Потрясенный Фредерик двинулся прочь с саблей в руках. Миновав трупы лошади и партизана, он решился обернуться. Гусар сидел неподвижно, опустив веки, не выпуская из рук пистолет, равнодушный к опасности, войне и самой жизни.

Оставив поляну, Фредерик продолжал свой путь. Вдруг сзади грянул выстрел. Юноша бросил саблю, закрыл лицо руками и разрыдался.

Фредерик не сразу смог идти дальше. Теперь он окончательно запутался, где запад, а где восток. Лес казался ему непроходимым лабиринтом, западней, наполненной запахами гниения, пороха и смерти. Юношу охватила безмерная тоска, ноги больше не слушались, боль во рту сводила с ума. Обнаружив, что идет с пустыми руками, Фредерик понял, что потерял саблю, и бросился на поиски, однако, сделав несколько шагов, остановился. К черту саблю, к черту все. Дальше он брел потерянный, не разбирая дороги, то и дело натыкаясь на деревья. Голова кружилась, взор туманился. Жар заставлял говорить вслух, как в бреду. Фредерик разговаривал с друзьями, с де Бурмоном, с Клэр... Он все понял, наконец-то он все понял. Не зря он упал с лошади, точно Павел по пути в Дамаск... Подумав об этом, Фредерик расхохотался, и смех его громко разнесся по лесу. Бог, Родина, Честь... Слава, Франция, Гусары, Битва... Слова срывались с языка одно за другим, он повторял их снова и снова, меняя интонацию. Он сходил с ума, как пить дать, сходил. Все они сумасшедшие, все, кто повторял эти глупости о долге и славе... Один умирающий гусар все понимал, потому и застрелился. Он был старый и умный, сообразил, как поскорее со всем покончить. Так и есть. Остальные ни черта не знали, романтичная дурочка Клэр, бедняга де Бурмон... Грязь, дерьмо и кровь — вот что это такое. Одиночество, холод и страх. Голый, всеобъемлющий страх, который сводит с ума и заставляет выть по-звериному.

Он закричал. Несмотря на боль во рту, закричал так громко, как только мог. Он кричал небу, деревьям. Кричал всему миру, Богу и дьяволу заодно. Обняв ствол дерева, он принялся рыдать и хохотать одновременно. Доломан стал жесткий, как панцирь. Он сорвал его через голову и зашвырнул в кусты. Вы только посмотрите, изысканная работа, тончайшее сукно. Оно сгниет в этом проклятом лесу, вместе с Нуаро, с гусаром, который застрелился, со всеми людьми и конями, со всеми дураками, которые дали отвести себя на бойню. Вместе с ним самим, быть может.

Он сходит с ума. Сходит с ума. Определенно сходит с ума, черт побери. Где теперь Берре? Где Домбровский? Где полковник Летак, всего одна, эхем, атака, господа, и мы погоним эту шваль по всей Андалусии?.. К черту, к дьяволу их всех! Его провели как последнего идиота. Бедолаги, их всех ведь тоже провели. Боже всемогущий, неужели весь мир дал себя провести, неужели никто ничего не видит? Почему его не оставят в покое? Он только хотел отсюда выбраться! Почему его не оставят в покое, во имя милосердия!.. Он сходит с ума, а ему всего девятнадцать!

Умирающий гусар был прав. Теперь он знает — старые солдаты всегда правы. И потому они молчат. Они *знают,* и это знание, эта мудрость не позволяют им говорить. Черт побери, они знают все. И никому не говорят; хитрые старые лисы. Каждый должен узнать это сам, когда придет его час. В них нет бесстрашия; одно *равнодушие*. Они по другую сторону, вне добра и зла, совсем как дедушка, старый Глюнтц, который устал жить и решил поторопить смерть. Ничего не надо было делать, все ясно и так. Честь, Слава, Родина, Любовь... У каждого свой час, своя точка, откуда нет возврата. Его время пришло, над ним уже занесена коса, смертоносная, как испанские уланы. Спасения нет. Бежать бессмысленно, стоять на месте глупо. Остается спокойно встретить свою судьбу и покончить с этим поскорее.

Все показалось вдруг упоительно просто. Фредерик остановился и удивленно вскрикнул, не понимая, как же он не видел этого раньше. Он дошел до опушки и застыл, пораженный своим открытием, измученный и дрожащий, разбитый и покрытый кровью, с растрепанными волосами и горящими, безумными глазами. Он поглядел на синее небо, на бескрайние ряды пепельных олив, на птиц, круживших над полем боя, и снова расхохотался.

Он сел под деревом, теребя сухую ветку и тупо рассматривая высохшую землю у себя под сапогами. Когда на опушке появилась толпа крестьян, вооруженных серпами, палками и ножами, он поднял голову, поглядел в перекошенные ненавистью и лица и остался на месте, неподвижный и спокойный. Он думал о дедушке Глюнтце, о раненом гусаре под вековым дубом. И не чувствовал ничего, кроме усталости и равнодушия.

Махадаонда, июль 1983 г.

Оглавление